KU-471-655

DON'T SWEAT GUIDE

別爲小事抓狂指南 夫妻篇

97個讓兩性關係更親密、更相愛，
更沒有壓力的幸福秘訣

The Don't Sweat Guide for Couples

作者◎理察・卡爾森博士／別抓狂編輯群

譯者◎朱衣

用心維持品質良好的兩性關係。

理察・卡爾森

身爲一個伴侶，能夠擁有一種彼此承諾的關係，是人生最偉大的寶藏之一。關鍵在這樣的關係必須是美好的。用不著掩飾，身爲伴侶眞的就是天賜良緣。伴侶關係提供了愛、同伴、友誼、家庭與安全感的機會。但是，不論你們之間的關係有多美好，多少總會出現一些壓力。事實上，兩個人要在一起，先天上就會出現一些問題——妥協、原諒、接納不同的觀點、犧牲，都是必要的。有時候你們會意見不合，或是有不同的期望、需要與渴望。你們可能有不同的目標與輕重緩急，還得處理彼此的問題與情緒。

《別爲小事抓狂》的編輯群做了一件美好的工作，他們創造了這本指南，幫助所有的伴侶面對彼此關係中經常會出現的壓力。《別爲小事抓狂指南》爲天下的伴侶們收集了一些簡單又實用的策略與工具，讓你們之間的關係變得更好，更容易放下爭端，專注在彼此之間的愛上。在兩性關係中，通常會出現自我防禦或是一些負面的行爲，結果把愛驅逐了。警覺到這樣的一個傾向——及我們思想的威力——就是促進雙方愛情的神奇魔法。那會幫助我們排除某些可能會在彼此關係中造成負面影響的壞習慣。

你可以一個人閱讀這本書，也可以跟伴侶一塊閱讀。不論是那一種方法，相信你都能學到很有幫助的策略。

我跟妻子——克瑞絲之間的關係是我生命中極爲重要的一部份。我們兩人都承諾，要盡全力維繫品質良好的兩性關係。書中許多的點子都在我們心中引起共鳴，希望對你們也有同樣的作用。

感謝你承諾要保持品質良好的兩性關係。希望這本書對你跟你的伴侶都能產生巨大的功效。

譯序 努力珍惜相聚的時光。

朱衣

除非你很喜歡玩愛情遊戲，戀人一個接著一個換，以隨時保持愛情的新鮮感。否則你總是會想著要有一份穩定的戀情，也同時能保持愛情的鮮度。

度過初戀的玫瑰色時期之後，每個人都會被這些問題所困擾住：原來的新鮮感消失了，原本互相尊重的心情不見了，懷疑、猜忌代替了彼此的愛，甚至你會懷疑當初怎麼會愛上這樣一個人？

在這世上，每個人都是獨一無二的。因此人與人的相處本來就不容易，更何況是男女之間的相處。要能做長長久久的伴侶，學習一點婚姻生活的技巧與原則是很有必要的。廣義的來說，所謂婚姻生活的技巧也就是人與人相處的一些基本技巧：關心對方的感受，彼此尊重，一起學習，一起成長，共同分享生活中的甘與苦。

這些我們在高中時代可能就學會的技巧，運用在婚姻生活中卻常常變得奇形怪狀。有時候我們會抱怨對方爲什麼不體貼我？光要我來體貼？爲什麼都是我在付出，對方卻可以自私自利？如果你只能從自己的角度來思考，顯然你不會找到答案的。只有當你從對方的立場來思考時，或許你才能揣摩出一二！

更悲哀的是，我們常常把伴侶看做是「自己人」，換句話說，自己人就不必客氣，做什麼都是理所當然，甚至連受氣都是應該的。用這樣的心態來對待「自己人」，那麼「自己人」寧可做「外人」了，不是嗎？

愛情婚姻生活中有許多討論不完的話題，或許不一定都能找到解答，但只要你願意珍惜兩人相處的時光，努力珍惜這難得的福分，你就能從婚姻中學到寶貴的人生智慧。

記住你愛上的那個人

當我們爲戀愛的興奮刺激而抓狂時，就是我們想要展開長程關係的開始，這時對於伴侶身上可能會在將來產生壓力的特質，我們變得毫不在意。大多數人都能克服這段玫瑰色時期。但是從心醉神馳的高峰逐漸遞減的過程中，有時候我們會移動得太遠，甚至到了反方向。我們不再爲愛而盲目，能夠看出另一個血肉之軀的眞相。那是自然、必要，也是健康的愛的一部份，但是感覺上卻像是一種損失，而且會產生痛苦。

想要解決夫妻之間的壓力問題，世上沒有容易的方法。但是你用什麼樣的觀點來看待與你分擔壓力的另一半，會嚴重而長期的影響到你對壓力的容忍度。當你記得自己曾經如何，爲何及因此愛上這個人時，你就會用同情與感恩的觀點來看待這個人。

這個過程就是要記住一開始心動的時刻。回憶一下第

一次看到他的感覺。回想一下他的個性、外表、偏好與習慣。想想看這些對你來說都很新奇時，你受到什麼樣的影響？回憶一下當初你是怎麼樣受到吸引的？

記住你愛上的那個人，同時也是一條雙線道。你可以跟伴侶一起走入「回憶之巷」。在戀愛的初期，你們一起分享了強烈的情感與興奮的情緒。一起回憶這些事，能讓這樣的感覺重新對焦，甚至煥發出嶄新的光彩。重回往日，紀念某個特殊的時光，對你們兩人來說都意義非凡。拿出一些老照片，爲快樂時光一起歡笑，計劃一些你們過去喜歡一起做的事。不必刻意重新塑造過去，而要讓現在充滿豐富的體驗。

簡單來說，讓分享過去的經驗成爲有利的工具，爲你們一起創造更快樂、更滿意的生活。在這樣的過程中，你爲愛拓展了空間，讓這份愛持續成長，更加深刻。

2. 閱讀同一本書

人與人之間會有所不同，是經過長時間的變化。那是上百種不同的選擇所造成的結果，卻絲毫沒有顧慮到健康的兩性關係該如何面對這些選擇。這些伴侶自顧自的參與自己的活動，忘了該跟對方一起做這些事。這樣的關係會變得無趣又煩悶。

同樣的，人與人之間要建立起堅固的基石，共同成長，保持情感的鮮度，也需要時間。因此，夫妻倆花時間聚在一起討論有啓發性、挑戰性的事物，是非常有意義的事。想要一起成長，而不是各自發展，就需要運用不同的方法，時時刻刻一起分享生命中的成長起伏。

或許你的伴侶愛打高爾夫球，慢跑，滑雪或划船。你可能對這些活動一無所知，但你絕對可以學習。你可能沒有那樣的體力，或發現就是學不會某項活動，但至少你會欣賞那樣做所需要付出的體力，然後用許多不同的方法來

支持這項活動。你的伴侶比較強的地方可能是智力，也可能是藝術天份，甚至可能是整理家務。一路參與伴侶的生活，讓你有學習新技巧的機會，也會對自己所愛的人更心懷感恩。

你可以用同樣的方法分享你的優點。跟伴侶分享自己的優點時，似乎比較容易又更有效，而且能夠避免掉解釋與說明的時間，但是容易又有效並不代表就一定有助於雙方的成長。

如果你們兩個都喜歡閱讀，就一起讀一本書。可以分別讀，或是由一個人朗誦出來。談談你們的讀後感。書本的內容成為你們一起分享的經驗，把你們之間的關係又拉近了。選一個你們從未試過，毫不精通的活動。報名參加跳舞班或是加入騎腳踏車團體。如果你們喜歡旅行，也想這麼做，計劃去一個你們都沒去過的地方。如果你們喜歡社交活動，就一起認識一些新朋友。

一起學習，一起成長，建立起雙方互相支持的歷史背

景，記錄下雙方共同參與的活動，使你們對彼此更有興趣。比較起來，那些會造成壓力與摩擦的事就不那麼有趣，你一點也不想花力氣在那些事情上。

做彼此的朋友

共渡一生的伴侶有時候不一定會像朋友般彼此對待。原因有很多，但很糟糕的是，比起他們跟自己伴侶的關係，這些人在外面跟朋友的關係反而還要更好。

其實不一定非如此不可。你可以改變這種不太美滿的狀態。首先，試著去做伴侶的朋友 —— 那種連你自己都想擁有的朋友。困難的時候，親自在旁邊支援；憂傷的時候，讓對方倚在肩膀上哭泣；生命中出現困惑時，同情的傾聽。慶賀伴侶的成功，就算搞不清楚狀況，也暫時將疑惑放在心中。對伴侶保持信心，也表達出自己的信心。因為你的行為像一位朋友，你的伴侶也就會成為你的朋友。

你一定要用比較浪漫的方式讓伴侶知道要如何成為你的朋友。找出一種非拷問式的溝通方式。與其說：「你從來不……」或「我希望你能……」，不如用「如果……對我來說很有意義。」或是「在我的需要當中，其中一個是

……」這樣的說法來表示。你承認這是你個人的需要，而你給伴侶一個機會，讓他送給你友誼這份禮物。

當你向伴侶表示友善時，遭到斷然的拒絕，不妨從另外一個角度來看看自己的表現。你是否專注在對伴侶來說很重要的事情上，或是你頑固的堅持要照自己的想法來做？妳對待伴侶的態度是否像對待知心好友的態度？最後，在這麼做時，你的心中是否有點憤怒不安？有時候一份友情停止進展，主要是因爲某一方不肯道歉而造成的。

讓你選擇的伴侶成爲你的朋友，只是生命中的一點小事，卻能帶來極大的喜悅。如果你能清楚的表示，友誼對你來說意義非凡，而且能以友誼換取友誼，你就不會再爲一些毫無意義的瑣事而抓狂了。從問題的根本來解決，症狀自然就會消失了。

4. 在淋浴時唱歌

在你認識的人當中，有些人似乎必須要面對生命中許多難以平衡的憂傷，但卻依然保持著上進樂觀的心態。另外一些人則似乎像個悲傷探測器，即使是在艷陽天也問題多多，他們會立刻將自己的煩惱歸咎於某個人或某件事。

這兩種人之所以不同，就在他們的態度與觀點上的差異，你也可以稱之爲「內在的思潮」。在人生各種各樣的問題當中，樂觀積極的人發展出一套對生命的看法，鼓勵他們包容無法改變的事，找出積極的解決方案。

關鍵就在這裡。不論要朝向更深刻的喜悅與樂觀的方向需要花多少的力氣，一開始的時候一定要很清楚的感覺到自己想要快樂起來。那跟你在人生路徑上碰到些什麼事無關，也跟你的父母無關。那是屬於你個人的，能幫助你面對生命中所遭遇的任何事。那可能是簡單到像在淋浴時唱歌那樣，也可能複雜到像是想辦法釐清生命中的痛苦與

憂傷。

要建立積極健康的態度，方法很多。譬如想想看，你花了多少珍貴的時間在自己的靈性生活上？反省，祈禱，為他人服務，做禮拜也是一種方法，能幫助你找到一個充滿喜悅的場所，讓你在充滿壓力的時候能夠放鬆一下。

情感上的幸福安寧跟肉體上的健康快樂是有關的。許多人發現，經常運動帶來的附加利益就是良好的情緒。這些人注意到要保持平衡的飲食，也就會有更多的精力與熱忱。

同時也想想看自己如何對待自己的心。你是用什麼樣的「食物」來滋養自己的心靈？持續的暴力或負面的對待，絲毫產生不了充滿希望的態度。同樣的，花太多寶貴的時間在抱怨，說閒話，或虛擬陰暗的實境，都會影響到你內在的平靜。仔細選擇心靈的糧食。經由傾聽、閱讀、注意與觀察，在生命中散播大量的樂觀積極的經驗。盡量多花點時間跟積極樂觀的人在一起，減少與負面性格的人相處的時間。

5. 讓例行常規變成一種儀式

例行常規就像是一條經常行走的路徑，想要改變是非常困難的事。你走在這樣的路徑上，一直保持同一個方向，跟上次走的態度也一模一樣。你可能瞥見了另一條可以走的路徑，或是想改變一下方向，但是要改變原先的路徑實在有太多的麻煩，所以你決定放棄做這樣的努力，結果就形成絕望，錯過機會。除了不斷的後悔與自責，更糟的是，你會變得太習慣這樣的常規，完全不再想改變了。

例行常規並不是突然發生的。我們自己決定要陷入這樣的行爲模式，堅持下去，卻不去質問這個模式對我們的生活有什麼價值。那不是有創意或持續有幫助的模式，結果，那只會任憑路徑荒廢衰敗下去。然而，我們卻不會去思考爲什麼自己一再的走相同的路徑，而忽略了或許還有另一條更好的路可走。

例行常規可能是一連串的思想、回應的習慣，或是行

爲的模式。如果你長期的一直走下去，不做一些檢驗，你們的親密關係就會缺乏改變，彼此的幸福快樂也將面臨風險。當你發現自己陷入例行常規時，那樣的例行常規就失去了力量。那樣的認知也是一種機會，你可以重新思考自己所選擇的行爲模式，做一些改變，或是改變那樣的模式所產生的影響力。

舉例來說，每天早晨的習慣是在早餐桌上看報紙。許多伴侶在看報紙時，除了咖啡杯之外，不願意把視線再延伸一點。從這一點而衍生出其他的不滿，單純只因爲這一天的開始是兩個人共享的行爲——其中一個人沉默的看報紙，另一個並沒有提出建設性的建議——最後就造成了傷害。

如果一對伴侶刻意選擇這樣的模式，在早餐桌上看報紙確實會增加兩人相處的時間。他們可以一起討論看到的東西，或是不時交換一下眼神，讓拒人千里的習慣轉變成兩人的喜悅與成長。固定看某一個電視節目或錄影帶，也

會成爲眞心關愛的儀式。

要將例行常規變成珍貴的儀式，就要刻意的做出分享的選擇。不要讓儀式變成例行公事，就要保持清醒的意識，堅持自己的選擇。

讓對方把話說完

對兩性關係的品質來說，有一些技巧比只是做個好的聆聽者還要重要。要作一個好的傾聽者，首先是要做到全神貫注。一般人的思想總是比說話的速度快。你的伴侶在說話時，你不需要多少時間就聽完了。這會讓你的頭腦胡思亂想，也可能困在你停止傾聽的某一點上。更可能因爲你的思想比別人說話的速度快，你可能會預測下一個要說的主題是什麼。你可能會爲伴侶說完下一句話 —— 不管實際上或只是在腦中想。你沒有吸收到眞正的訊息，結果彼此之間完全沒有溝通到。

良好的傾聽也跟身體的姿勢有關。注意伴侶說話時的手勢、面部表情與姿態。眼神要看著對方。同時，你也要用自己的手勢、表情與姿態來溝通，表示你跟伴侶眞的「在一起」。注意的點點頭，避免緊抱雙臂或搖頭。這些姿勢會讓你「看起來」像是在傾聽，也能幫助你聽得更有效率。

絕對不要假設你知道接下來的是什麼，或是你什麼都知道了。就像所有的人一樣，伴侶固定的行爲模式也需要在彼此對話的時刻中，經過仔細的觀察才能發覺到。如果你不等待一個句子說完，你可能就錯過了改變的時機。你讓進一步了解最親愛的人的機會錯過了。

傾聽而不要下評斷。要讓一個人閉嘴，最快的方法就是批評，而不是讓她說下去。在某一點上確認一下自己聽的是否正確。在你將對話轉變爲自己的思緒之前，要多體貼對方一點。有時候在全神貫注時，我們的答案揭露出伴侶與我們自身的眞相。這會創造出彼此的理解，但如果經常這麼做或太快這麼做時，那樣的溝通卻像是對對方失去了興趣。專注在伴侶所說的話上，給對方時間說完自己的話，表示你眞的在用心傾聽。

7. 設定暗號

在親密關係中，我們的確知道伴侶的偏好、挫折與弱點。這些私人的特質有時會在公開的場合中出現，有時候我們必須要在別人面前處理這樣的問題。譬如你們之間有一個人說話太大聲，或是其中一個人想離開聚會的場所，或者需要擺脫無聊的談話對象等等。無論是什麼情況，如果你們用大家都注意到的方式來溝通，可能會有點古怪又不好意思。

要處理這樣的情況，一個很有效的方法是發明一組手勢，只有你們兩人能夠明白的私人溝通方式。舉個例子，假設你的伴侶在晚餐桌上偶而會讓袖子浸到食物上，你的伴侶需要明確的提醒，你可能會說：「你有沒有帶手帕啊？」其他的人可能會用拉拉耳垂，對看一眼，表示牙齒縫中有食物屑。特殊的暗號比不上眞正的事實來得重要。能夠不發一言的溝通，讓你跟伴侶即使分開兩處也能成爲一體，讓你們能在公眾場合仍然尊重彼此的隱私。

這樣的解決方案需要敏感與溝通的心。你第一次注意到某種情況時，在說出來之前先想一下可能會有幫助。在公眾場合，如果你面對的是以前從未處理過的狀況，最好的辦法是保持沉默，等一下再討論。坦承你並不知道要說些什麼，不過以後再有類似的狀況出現時，你想要知道伴侶希望你用什麼方式來作提醒。一旦狀況發生之後，你就可以照計劃進行，然後再雙方討論一下，看看是否彼此都滿意這樣的結果。

當你們身處眾人之中時，花點時間作親密的溝通，可以避免受傷、受辱的感覺，以及事後的爆發。你所處理的是壓力的來源而不是徵兆，從這樣的過程中，你們串聯起堅強的默契。

8. 練習讚美

兩性關係剛建立起來時，我們會想要多注意積極正面的部分。但是隨著時間過去，我們對伴侶負面的特質知道更多，我們的焦點就轉移了。我們看到伴侶跟我們自己一樣，混合著正面與負面的特質。我們覺得伴侶的負面特質將會威脅到我們的安寧與幸福，所以我們想要糾正或是把這些負面特質趕跑，好讓自己又感覺安全快樂起來。

悲哀的是，這種自然反應的化學作用會讓我們只看到負面，只會對負面的行爲做出反應，原本積極正面的行爲卻變得朦朧不清了。我們的看法開始變成憂慮、控訴、抱怨。雙方都開始懷疑，我們是否曾經愛過對方？彼此的回應也都變成防禦性的。結果，越來越強烈的負面特質就取代了正面的特質。

這樣的過程也可以反過來看。你可以在一開始就對自己誠實，好幫助自己面對這個問題。許多人都知道自己有缺點，用這樣的心來看待伴侶的缺點時就會好過得多。那會提醒你，你不可能找到一個毫無缺點的人。你有這個潛能去同情與原諒跟你一樣有缺點的人。你知道自己需要那樣的精神支援，才能成功引導自己的方向，這也能幫助你接受伴侶也有同樣的需要。

用這樣的心態來看待負面的行爲，你就能讓自己自由，重新回到積極正面的狀態。每天都試著找出或仔細考量伴侶有至少一個値得欣羨的特質或品德，這樣做一個星期。當一星期過去後，找一個機會跟伴侶針對某一個特質討論一下你的想法。這可以是很簡單的說法：「我只想告訴你，對於這一點我有多感激你。」

當然，你可能用不著那麼辛苦才能發現愛人的優點，或許更迫切的需要是記得讚美對方。很多時候，我們認爲對方知道我們對他的感謝。事實上，對於自身的優點，對於自己可敬的行爲，大多數人都需要許多讚美的回應，尤其是伴侶說出來的讚美，更是重要。

9. 分享

說來奇怪，平時表現得成熟理性的成人，在處理居住空間時，卻顯得非常的孩子氣——有關清潔的問題會轉變成「垃圾」大戰；醫院行政專家面對著不平整的床單，簡直就要崩潰；自然的愛好者對伴侶過度狂熱的修剪樹叢而哭泣不已。

這些原本屬於個人的風格、教養與習慣，在與一個生活習性完全相反的人生活在一起時，就會產生潛在的壓力。

還記得小時候你碰到的最大問題是如何與玩伴分享玩具盒子中的玩具？也許你在盒子中畫了一條線，然後說：「這邊是我的，那邊是你的。」也許你會放一堆玩具在中央，輪流挑選自己想要的玩具。

在一起共同生活的成人，會了解所謂的不同，這跟對或錯是無關的。畢竟法律並沒有規定，一個愛乾淨的人絕對比髒亂的人更優越，或是樹叢應該自然的生長，不該被整齊的修剪。相愛的伴侶值得互相觀察對方的想法，寬容其間的荒謬之處，同時也應該彼此尊重。

向彼此坦承，對家務事的不同觀點確實干擾到你了。「看！」你可以這麼說，「這件事不斷重複發生，讓我們做出了傻氣的反應。我很愛你，沒辦法將精神花在這樣的事情上。我們該怎麼辦？」只要兩人是相愛的，即使提出這樣的問題，在彼此的妥協與合作下，你們將可以有一個很棒的開始。

記住，你的伴侶跟你一樣，也有權利擁有一個舒適的家。如果在「舒適」這件事上，你們的感覺眞的不同，那就要區分出一些區域是不能彼此分享的。經過深思熟慮的妥協後，你們絕對要彼此尊重。你們會欣慰的發現，家庭氣氛中處處皆可感受到彼此分享的愛意。

不要爲對方設定刻板印象

墨守成規能夠帶給人安全感，但同時也是一種限制，如果你必須和另一個人相處，墨守成規的刻板印象暗示著缺乏希望與信任，在這樣的限制下，人將無法成長與痊癒，迴避愛而使自己越來越孤立。把一個人放在那樣的位置上是有害的。當雙方固執的爲對方設定了刻板印象，拒絕做任何可能的改變，原本沒那麼重要的問題，卻可能成爲兩人之間最大的絆腳石。

不過，我們很容易就會陷入這種情況，尤其是彼此關係已經維繫了一段時間就更容易。你將伴侶過去所表現出來的特徵或行爲串聯起來，然後投射到現在與未來。你不想看到眞相，因爲你已經讓負面的期許封閉了你的觀察。就算伴侶改變了，你也看不見或不想接受。

你可以爲了伴侶而決定要做得更好，首先要記住，改變是一個人生命中經常會出現的。只要生命繼續下去，無法避免的改變就可以轉變到更有建設性的方向。記住，生活在一個固定的空間裡，會阻礙一個人的成長。那跟心靈的成長是一樣的。拒絕給伴侶一個成長的空間，實際上也就是限制了對方的發展。你的態度讓你迴避付出與接受愛。

當我們拒絕爲別人設定刻板印象時，就是在讓自己鍛鍊世上最有威力的積極能量。我們表現出對伴侶善良本質的信心。我們永遠保持希望，相信他們有潛力做正向的改變，並且把愛加諸在有意義的行動上。

11. 期待驚喜

深刻的了解一個人，確實是人際關係中最大的喜悅。不過，到了某一個程度，你會相信自己已經知道一切了。你分析自己的經驗，從單一的角度觀察伴侶的行爲。對於驚喜你已經麻痺了。面對其實具有多面性的伴侶，你卻只接受與自己心思接近的想法，你決定進入停滯狀態——兩性關係的停滯期。

理解自己會碰到些什麼是很平常的事。基本上，那對你以及伴侶都不公平。但是比起從你的角度把伴侶想像成是無聊、腐敗的傢伙，這還不算太壞。然而，如果你想要擺脫這樣的陳腐心態，確實需要做一些心靈的運動。

一開始要承認，不論你認爲自己有多了解對方，你個人的觀點是很狹隘的。你只是在創造一種理解的捷徑，對於伴侶的特質與習性，卻不再做心靈上的探索。在這樣的過程中，你可能也失去了清楚的洞察力。

新的觀點似乎很難建立起來。不過，你的伴侶也會有朋友，你可以觀察他們對他（她）的看法。別人的觀點或許正是你所需要的藥方，能讓你打開心靈，看到伴侶仍然有些能讓你驚喜的地方。

跟伴侶分開一段時間也很有效。當你回來時，給自己一點眞正觀察的時間，像是你從不認識這個人一樣。打開你的心靈去感受過去所忽略的微妙表現。想像這是你們第一次碰面，想像這個人帶給你的第一印象是什麼？

花時間相處一下，也能讓你大開眼界。讓許多人聚在一起，你跟你的伴侶也在其中。然後從遠距離去觀察。注意觀察你的伴侶，卻用不著待在他身邊。放下既定的觀念，等待著驚喜出現。

生命中充滿了驚喜 —— 人也一樣，只要你肯花時間去觀察。保持好奇心，再觀察一下你所愛的人。你將爲此而感恩，因爲對方其實還有很多你不明白的地方。

感謝「疑惑」所帶來的利益

當我們覺得疲憊，憂鬱，承諾太多或是面對某種危機時，「疑惑」就是其中一件最困難的事。了解人性的基本傾向，可以幫助我們消除疑惑。疑惑可以是一種改變我們生活的警訊。但是我們仍然需要面對疑惑的本身。

面對疑惑時的這種反應：「不管它，自然就會消失了。」似乎幫助不大。忽略自己的感覺，就是在讓這樣的感覺滋長蔓生。它會讓疑惑的感覺再度冒出來，到時就會變成大問題了。

如果你對彼此的關係有疑惑，先看看是什麼樣的疑惑，然後將這樣的疑惑當作觸媒，來提醒自己有關伴侶的所有優點，消除疑惑。這麼做甚至可以提醒你要讚美、感恩自己的伴侶。「最近我有沒有跟你說過，我真的很感激你能……」在這樣的對話中，你甚至會對伴侶提出自己的疑惑——你的伴侶可能會向你提出安心的保證，讓一切恢復常態。

從另一個角度來看，疑惑也可能是一個暗示，提醒你們之間的關係可能須要加以注意了。你可能會突然發現，你們之間很少像伴侶一樣聚在一起，或是你需要關心一下你那部分的財務問題。或許疑惑會讓你驚醒，你需要知道伴侶的感覺是什麼，或是你應該要重新思考，你們彼此所習慣的相處方式，可能並不是你最喜歡的模式。

疑惑來了又去。與其讓疑惑控制你，不如運用疑惑來作建設性的思考，以消除生命中更多的煩惱壓力。

13. 生活在一起時研究一下「誰是誰」

與另一個人分享生活，意味著將兩個不同的身體交織在一起，中間還交錯著各自的想法與選擇，不同的才華及潛能。理想上來說，伴侶關係對雙方都有作用，讓合起來的整體比個體更偉大。但是彼此的相異之處會造成偏狹的想法，會讓你期望伴侶就跟你自己一樣。當你想要讓伴侶成為鏡中反射的另一個你時，兩人之間緊密交錯的纖維紋路將會鬆散開來。

偏狹的想法有時候來自失去了本性。我們模糊了自己與他人之間的界線，當我們不贊成或不感激時，伴侶的行為就變成對我們個人的威脅。我們把伴侶的行為當作自我的反射，或是我們自己也有責任。

不過，還是有些好消息的。你就是你。你的伴侶是另外一個人。你可以讓伴侶做一個不同的人，就算你覺得那樣的做法有問題，也不要干涉。那絕不會讓你成為不像你

自己的那個人。

你們之間的不同所刺激出來的反應，就是一種挑戰，會讓你質疑每天所做的選擇是否來自正確的假設。或許你想要確定自己的立場與你是誰這樣的問題。或許你會發現新的可能性，讓你們創造出新的、更有意義的基礎。不論是哪一種，在餐桌上坐在你對面的那個人，都會感激你提出這樣的問題。

除此之外，你們之間的差異性也需要一點彈性的練習。「青春就是有彈性的脊椎。」人類的心靈如果碰不到想像中的腳趾，就是鈣化、僵硬的心靈。伸展運動能產生包容心，包容彼此間的不同，帶給心靈嶄新的青春與活力。不要蔑視伴侶的相異處，要珍惜他們所提供的不同想法。

爲自己找一點空間

在人類的生物學上，我們的身體確實需要時間來休養與重建。這也是爲什麼我們會需要睡眠。一天當中，我們也會花時間在吃喝上。如果我們不去滿足這些基本需求，就會讓自己達到極限，身體會自動發生作用，讓我們停止這種有害身體的行爲。

遺憾的是，心靈上對於休養與重建的需要既不明顯，也不堅持。你可以走了長長的一段路，卻沒有顧慮到自己情緒與心靈的需要，也從不知道那樣的結果會帶來的心靈上的憂鬱。或許你注意到自己脾氣很壞，也發現自己並沒有達到一向的標準。你抱怨環境、伴侶或其他人，卻不知道要向內尋求解脫，而不是向外。

愛情關係、有意義的活動、知道自己在社區佔有一席之地、單純的原始趣味——這些都會讓你的人生更豐富、更充實。然而，如果你只給自己一點點時間，或不給自己一點安靜獨處的時間來反省或休息，很快的，你就會失去洞察力。你會做過多的承諾，忙碌不堪，然後有一天你早上醒來，一心只想跳樓自殺，好讓這個世界停止運轉。世上有太多沒完沒了的要求，沒有時間與地點來修補，只會讓你耗盡心神。

想像心靈的需要就是在一個悠閒的地方吃一頓美食。妳花一點時間創造這樣的場景，然後滋養心靈，驅散心中的灰塵，釐清自己的思想與感覺。讓自己享受一下，閱讀你一直想要看的書。泡個熱水澡，按摩一下。多花點時間漫步一下，用不著跟上別人的步伐，或是一定要談話。只要是完全爲你個人著想，任何形式的心靈滋養都有效。

花時間滋養心靈，也是你給伴侶及自己的一份禮物。這類的活動會促進你們之間已經擁有的聯繫感覺。或許你們可以談一下，以確定這些活動並不會促使兩人走向歧路。你所獲得的利益將是重新找到調適的方法，得到嶄新的生命觀點。

15. 丟掉抱怨清單

對共度一生的伴侶來說，不要隨著時間的流逝而彼此產生出挫敗與失望的感覺是很重要的事。不幸的是，物質世界總是創造出一連串有如洗衣清單般的冗長抱怨。我們注意到負面的東西，在心理與情緒上作記號，讓它發生作用，影響我們對伴侶的反應。

要丟掉這份抱怨清單，第一步就是要認知自己的感覺。他又忘了在購物單上寫上牛奶，妳只好急著跑到店裡買；雖然你拜託她不要這麼做，她還是「清理」掉桌上的紙張，結果那份收據怎麼也找不到了；跟朋友外出進餐時，他又提起那個老掉牙的關於你浪費的笑話。你生氣，受傷，覺得不被尊重。向自己坦誠這樣的感覺，就是打開了一扇積極正面的門，處理負面的情緒，而不是任由傷口潰爛蔓延。

接下來是原諒那個人。你的負面感覺可能完全正確，也可能並不正確。無論如何，如果你把這些感覺留在心底，就是關閉了療傷止痛的門徑，在你們之間築起了一道牆。你可能需要說些：「你這麼做時，我覺得……」這類的話來發洩一下。或者你情願不說話。原諒別人的基石就在讓自己從負面的感覺中解脫出來，練習超越任何弱點，盡量去愛你的伴侶。想想看你的伴侶要如何接納你的怪癖？如何面對你不夠完美的地方？

下一步是放下痛處。訴苦抱怨就像是惡夢一樣，如果你往前探尋眞相，這些惡夢就失去了影響力。如果你讓這些想法一遍又一遍在你心中或對話中滋生存活，它們就會膨脹起來，看起來比實質還重要。讓這些想法消散掉。緊抓著苦惱之事，會讓你受傷更深，那也會排擠掉積極改變的可能性。

最後，練習正面思考的觀察力。你的伴侶一定有缺點，你也一樣。但是你的伴侶也一定有優點，值得相同的注意力。最重要的是，重新思考一下你眼中的伴侶的「缺

點」。通常我們看來是缺點的事，在別人看來只是兩人之間的不同而已。他可能忘了在購物清單上寫清楚物品名稱，因爲他是個夢想家、創意人。這個世界需要夢想家與創意者。她清理掉所有的東西，只爲了想要爲你倆創造一個美麗的家。這些都是美妙的動力，值得做必要的妥協，讓他們完成夢想。

簡單來說，痛處與苦惱是沒完沒了的，但你也可以選擇扔掉這張牢騷清單。

16. 感恩當下

擔憂未來，懊悔往日，都會造成無眠的夜晚與焦慮的白天。許多的時間都浪費在擔憂所做過或過去的事，或是還未發生的事。當然，回憶會帶來洞察力，讓我們重新活在快樂時光，重新想起我們所愛的人。關於未來的想法也能幫助我們，讓我們知道如何朝向自己想要的方向前進。但是當這些想法已經變成事件，我們沒有力量控制或改變時，我們就是在浪費寶貴的時間，而不是在感恩地活著。當你用那些已經過去的煩惱或不確定的未來干擾你的伴侶時，就破壞了此時此刻的時光。

人的天性與當代文化或許會催促你朝這些方向思考，但你也可以選擇實實在在的活在當下。開始這麼做時，首先要注意自己的情緒是否轉向煩惱或焦慮的狀態。快速的清查一下此刻自己的腦海中到底有些什麼樣的想法，會造成這樣的結果？你是不是在想某個你無能爲力的決定或事

件？如果是這樣，你現在能做些什麼樣的調整呢？如果什麼也不能做，你就是在爲了過去而犧牲此刻的時間。寫一張清單，看看未來要採取的行動是什麼，然後清清楚楚的放在一邊提醒自己。只要活在此時此刻就行了。

與人相處時，沉靜地注意對方的存在。他們與你說話時，要注意對方的眼睛。少說多聽。記得要問問題，注意你聽到的回答。觀察每個人互動的狀況，把你認爲彼此之間最動人的表現記下來。

你在做某件事時——無論是洗車、煮飯或打網球——一次專注在一件事上。只有把所有其他紛擾的活動與思想排除掉，你才能繼續完成那件事。做完一件事之後，其它事都還是會等在一邊的。

這些練習幫助你分辨自己錯過了當下的模式是什麼。那會讓你學習到一次專注在一個地方，全神貫注在一件事情上。事實上，此時此刻才是你眞正的擁有。認眞的活出你想要的生活吧。

17. 期待學習

年輕的時候，你像個海綿一般吸收資訊，學習技巧。你製造了一些混亂，做了些實驗，一點也不會因爲錯誤或困難而覺得驚訝或沮喪。

但是等你長大，學習的過程就緩慢了，在某些狀況中，你的成年期像是處在一種眞空狀態。你有固定的觀點，練就了特定的技巧，設定出時間與興趣上的難與易的界線。你花了大量的精力保護自己免於受到潛在痛苦的威脅，同時爲自己的觀點而辯護。在這樣的過程中，你失去了對自己、伴侶，甚至對生命的好奇心。你關閉了學習新事物的窗口。

到了某一天，你會覺得自己像是在扮演著嚴苛角色的學生。生命是個持續不斷的學習過程。你願意做生命的學生，能讓你避免把自己看得太嚴肅。畢竟，你並不是每次都對，仍然有許多要學的東西。至少有一半的機會，你的

伴侶可能會教你一些什麼。

作爲一個學生，你要保持洞察力，繼續嘗試你做起來「不太對」的事情。成年以後，當我們在追求某些新技巧，卻不能馬上學會時，會感到非常失望。通常我們會放棄。你把自己看作是學生時，就會承認那需要許多年的時間去學習、改進，才能成爲「專家」。要達到目標的過程是很有趣的 —— 就算你從來沒有達到過目標。

做一個學生可以讓自己學習到人生的課程。挫敗可以讓你學習到耐心，爭執可以變成一種指引，帶引你產生同情心與理解力。失望帶給你偉大的智慧與洞察力，讓你用積極、正面、樂觀的態度面對生命中所遭遇到的高低起伏。

讓自己重新成爲一個孩子，對萬事萬物保有絕佳的敏感度；讓自己回到對生命充滿活力的觀點，重新體驗新的想法、技巧、疑問與可能性。那意味著迎向學習的尖峰，不再擔心偶而會磨破了膝蓋。

說出心中的話──沒有人懂讀心術

每個人都希望世上有個能了解你心中想法的伴侶。很遺憾，讀心術只是神話。在親密的關係中，如果其中一個伴侶，或兩個人都有這種逃避的想法，就會在兩人之間產生極大的壓力。如果你希望被認知與了解，就要學習說出心中的話。

很多人用自我表達當作缺乏溝通能力的藉口。表面是武斷或肯定，卻變成語言上的暴力。另一些人則專注在聽起來像是溝通的技巧，目的卻是要操縱對方，要對方照自己的意思做或得到想要的東西。還有一些人將說出心中的話當作權力，將粗糙的情緒發洩在別人身上。他們傾吐自己的觀點，對別人表現出攻擊或偏執的想法。

練習溝通能讓你表達清晰，不會引起伴侶的反彈，或是違反他的意願來聽你傾訴。那絕不是只是把話傾吐出

來，而不必思考對方會如何接收你的話。想想要如何表達，你的伴侶才不會有受打擊的感覺。避免碰觸那些你過去就知道的「痛處」。小心遣詞用字，不要讓自己的言論變成了責備。在溝通時，儘可能的避免批評。比起把對方當靶子來練習的說話方式，這樣的溝通方式更容易讓對方聽到你說的話，也更了解你在說些什麼。

用「我覺得」、「我相信」、「我想」這樣的語氣說話。在說話時要讓伴侶了解到你有這些想法的前因後果，爲什麼你覺得需要表達一下自己的想法。如果你想要說的是一些你認爲有問題的事，在這之前最好先想到一些可能的解決方案。此外也要傾聽對方的回應。

我們的腦海中經常圍繞著許多問題──尤其是與我們親密的人有關的問題──如果我們把這些問題放在心中太久，不說出來，這些問題就會變得越來越嚴重。原本的小事情，也會變成了大事。用不同的方式說出自己心中的話，能讓你們在一起的生活更輕鬆。

19. 在相伴的日子中，做最快樂的另一半

想想看在長程的伴侶關係中，會有什麼樣的情景？伴侶們各自走不同的路去上班，等到有時間相聚時，他們又會花最多的精神在其他的事物上。他們各自帶著不同的經驗回到家，開始爭吵。

每對伴侶彼此之間又有什麼樣的差異性？碰到自己的伴侶時，你可能還沒有心理準備，要聽他大吐苦水。容許自己有一點減壓時間 —— 換一下衣服，坐下來喝杯咖啡，或是短短的散個步。你或你的伴侶在進入訴苦的談話之前要先喘口氣並不是一種侮辱。那更是一種心理上的需要，只要有效，對你們兩人就有幫助。

當你準備好，也有時間跟對方在一起時，要確定雙方把注意力都集中在對方身上。或許其中有一個人更想先說話，或是他的故事更有趣，但你們兩人都過了一天，要彼

此分享。表現愛與同情，最好的方法就是把興趣專注在對方身上，而不是自己身上。

如果你們能安靜地相聚在一起，這樣的時光可以用來處理雙方的人生問題。然而，通常在忙碌一天過後，絕不是談這種話題的好時機。這時候彼此的脾氣都會很壞。每一聲要求聽起來都嚴重得不得了。要仔細考量，是否雙方的精神都處在最好的狀態，可以處理更多的事情。否則只要問：「什麼時候來談這個問題比較好？」把要求與要協商的事放在精神狀態最佳時再來討論。

說也奇怪，在相伴的日子中，壞消息總比好消息多。你這一天過得糟透了，或許心情很低落。你的伴侶衝進家門，臉上帶著燦爛的笑容，聲稱自己升官了，或是問題解決了，或是有什麼很棒的想法。不要在他誇耀時澆冷水。好消息本來就不常見，更經不起壞情緒的打擊。盡量努力微笑，恭賀對方美好的一天。

每個人都是獨一無二的，每對伴侶也是如此。在分開

的時刻彼此支援，打電話表示關心，提供創意。只有你知道什麼方法對你們有效。相聚在一起的時光，讓彼此都能成爲對方最快樂的另一半。

知道自己的極限

現代社會最大的問題是負荷過重。每個人都有太多的物品與活動，過多的資訊，比以前多元化的工作。負荷過重會損害我們協調的能力，影響我們與他人的關係，無法享受小小的美妙時刻。那會妨礙我們集中精神，產生許多壓力失調的病症。對於這樣的問題，完全要靠你自己決定怎麼做。但或許你並沒有時間去認知自己的極限在那裡，也沒有恰當的規劃自己的生涯。

在這方面，親密的伴侶就扮演了關鍵性的角色。有許多選擇是你們一起或是單獨做的，而負荷過重的問題是需要兩個人一起解決。你希望自己與人共享的生活走向何處？你希望自己處在什麼樣的關係之中？生活中各種擁擠的項目到底眞的有必要嗎？

就更直接的層次來說，考慮一下自己的極限是什麼？你是否發生了超過正常數字的意外或災難事故？你會不會

胡思亂想？你們之間的關係存在著未說出口的問題？對於過度的要求與承諾，你最近一次說「不」是什麼時候？你認為那些事可以輕易地從工作清單上去除？你最近做了些什麼來激勵心靈或增進你們之間的親密關係？

知道自己的極限可以發展成一生的功課，但是除非你專注在其間，否則不會發生。你需要做一些實驗。你可能要從一個或多個承諾中擺脫出來，直到你找到安適之感，然後你才能區分出什麼是要保留，什麼是要放棄的。

21. 一起去冒險

大多數夫妻都過著忙碌的生活，因此最容易做的就是對彼此來說都簡單方便的事。如果你發現一家自己喜歡的餐廳，就老是會去那一家。如果某個渡假地點曾經帶給你美好的回憶，你就總是去那裡渡假。如果你發現一個兩人都喜歡的活動，那個活動就會變成你們的習慣。你們發展出了儀式與慣例，用不著再創新發明，你們已經有一個很舒適的相處模式了。

用這樣的方式來消磨你們相處的時間是有好處的。那會讓你們相處的時間有一致性，而且可以預期。那是一個溝通與放鬆的管道，同時帶來安全感。然而，這樣安適的狀態可能也會產生負面的效果。你可能會變得沾沾自喜，而忽略了你們之間的關係缺乏活力與成長的空間。你們的習慣越來越相似時，心靈卻漸漸遠離了。你們之間的談話變得敷衍了事，繞圈子，毫無新意，也沒有任何新的體驗可以分享。

在這時候，你們可能需要去做一些新的探險了。這些探險可能很基本，像是改變散步的路線，嘗試一家新餐廳。那可以是在當地探索的一種方式。譬如改爲搭火車，而不要開車；選擇整套的渡假計劃，不要再去家人經常渡假的地點，或是放棄古典音樂會，到一家爵士酒吧去。

新的經驗會爲彼此帶來新的啓示。你可能會看到伴侶表現出過去你從未見過的一面。外在的改變也造成內在的改變與成長。你們一起分享的經驗也需要你們提供自己的資源，磨練技術，鍛鍊自動自發的心態與合作的能力。你們都會改變，而你們會一起做這件事。

用不著放棄所有的慣例與習慣，誰也用不著拋棄老朋友或能帶給你們長久喜悅的管道。只要隨時注意你們所建立起來的習慣是否仍然有新鮮的挑戰、興奮與冒險的樂趣。

22. 給對方意想不到的驚喜

在我們的社會中，卡片與禮物公司已經大到可以爲我們決定什麼時候要送什麼，要如何送禮給我們最親愛的人。這其實沒什麼不好。大多數人都很感恩有一個值得紀念的日子，像是生日。但是這麼做有時候會讓我們在成長的過程中有一種只是在盡義務的感覺。一般人變得在期盼特定的禮物，尤其是伴侶所送的禮物。如果沒有得到，他們可能會覺得受傷害了。如果得到也認爲是理所當然。如果是你要送禮，那也只是工作清單上的一項工作。在某些情況下，有些人甚至會痛恨這種必要的禮俗。

但是，送禮豈不是與伴侶保持聯繫、一生當中能帶來最多喜悅與回饋的方式？當然我們不想延遲送禮的時間，尤其是特別設計過，能讓伴侶覺得非常特殊的時光，但卻不想讓禮品公司指定我們要何時、如何——甚至是否——給所愛的人禮物。

如果對你來說，送禮已經失去了意義，不妨重新想想你的習慣。一開始花點時間想想你在做些什麼，以及為什麼要這麼做。或許你痛恨卡片公司為你決定要送些什麼。所以不妨選擇一個時機，送給對方一項只有你倆知道、非常具有意義的禮物。或是帶著一瓶你們最喜歡的酒出現在他面前，只因為這天是星期五，你很高興能跟生命中最重要的人共享這段時光。注意伴侶的低潮或沮喪情緒，那就是表現實質愛意的最好理由了。

想出一些額外的送禮時間，買一些禮物。在禮物盒中放進一份承諾：「禮券：你可以重新裝潢你的書房。」或「找一天晚上慶祝一下 —— 你挑時間、地點與活動。」或「我欠你七小時照顧孩子的時間 —— 沒有任何附加條件 —— 你可以做你想做的事。」從你們共同分攤的工作項目中挑一項來做，那是你的伴侶一直期望完成的工作，你這麼做只是在表現你對他的愛。

做了什麼並不重要，重要的是我們如何做以及為什麼

做。眞心誠意的送給對方意想不到的驚喜，將使你送的禮物意義非凡。

23. 將差異變成互補

當你勇敢的跟伴侶設定好家務事的分攤工作時，你會發現彼此之間有太多不同的品味、才華、風格與偏好。不久之後，你們之間發展出一種對立的關係，總是發現彼此之間有多麼不同，最後你脾氣變得很大。讓這種事發生實在太可惜了。作爲伴侶，確認彼此之間的不同似乎是必然的途徑，然後你們該停下來，在這些差異性變成固定模式之前，腦力激盪一下，看看有沒有什麼改進的方法。在指出對方令人不快的行爲與態度之後，不要就此停止交談。討論一下爲什麼這樣的行爲會在你們之間造成麻煩。

譬如外面下雨了，你很希望回家時能將濕鞋子與雨傘放在門口的陽台上，然而，你的伴侶覺得前門口是給訪客的第一印象，不希望有任何未經設計過的東西放在那裡。這中間的利害關係是什麼？對伴侶來說，這是吸引人、友善的家。對你來說，方便性讓你的屋子保持乾淨清爽。解

決方案是什麼？在陽台上設計一個有吸引力又方便的儲存空間。你們達到了一個共同的目標，雙方都覺得很快樂。

有時候交換一下彼此的責任，讓雙方的潛力都能充分的發揮。譬如在打掃清潔時，你可能是個一絲不苟的清潔員。從另一個角度來說，窗戶需要清洗時，可能就需要你的伴侶來幫忙了。將工作區分出來，讓每個人做自己最擅長的事。如果在伴侶的才華中你能找到互補的作用，那你的缺點就很容易被包容了。

你們喜歡不同的食物嗎？做許多不同的菜，份量都不要太多，要確定個人的偏好都受到尊重了。你們喜歡的裝潢風格是否也不相同？每個人各自設計自己滿意的房間，或是將不同的風格組合起來，創造出混合的樣式。這些例子跟你們之間的不同可能毫不相干，但卻描繪出了一種妥協與尊重的精神。

24. 延長保險絲

我們經常會碰到讓我們生氣的情況。有些人天生就比較不容易發脾氣。另外一些人則生來就準備發火。事實上，我們都有正常的生氣的理由，也有典型的發怒方式。對事件本身來說，短的保險絲一點幫助也沒有。

你的「保險絲」或許可以定義為在怒不可遏、大發脾氣之前，你所擁有的包容力，那是用時間與速度來評估的。如果你的「保險絲」很短，就會反應很快。短的「保險絲」會造成彼此之間建設性的溝通短路，造成不必要的誤解與痛苦。如果你的「保險絲」燃燒得又快又激烈，這時你就該學習如何更有效的處理自己的脾氣。

數十下。在反應之前，強迫自己暫停一下，讓內心的壓力平靜下來。你可能要等上十分鐘，或是一兩天，讓一開始的怒氣消散後，你就有機會重新增加平衡感與洞察力，也可以做出更理性的反應了。

等到你能控制內心的怒氣，再進一步親自處理核心問題。我們總是會讓爭論大於問題的本身。一次只處理一件事，會讓事情更容易處理，對對方來說也更公平。

在回應對方的怒氣時，至少要做到說與聽的比率都相同。許多發生在你生活中的怒火，並非總是像你自以爲是的脾氣一樣，一清二楚或是單一的。你發現更多細節時，就會更了解自己的反應有多誇張了。與其之後忍辱去做你不喜歡的事，不如一開始就把事實弄清楚。

最後，多關心一下那個被你責罵或看到你發火的人。如果你是對方，你會怎麼想？大多數人都希望受到公平的對待，有權利說明自己的立場與觀點，澄清疑慮。就算是旁觀者，也希望能被尊重。用不著對每個人都以你希望被對待的方式來對待，這樣能夠讓你朝向積極面前進。

25. 張開雙手去愛

當你執著的緊抓住某個人的愛時，任何會讓你失去掌控的東西都會威脅到你，你擔憂著自己的損失與被拒絕。在許多案例中，過度執著的愛對雙方來說都是一種痛苦，甚至可能將伴侶趕跑。

張開雙手去愛，需要你有信心。最重要的是，要了解你們之間的愛之所以會執著與緊繃，是因為你對伴侶缺乏信心。不論你是否有意，但你都是在說這樣的話：「我不認為我可以信賴你的愛。」現在，你可能是對的，你的伴侶可能真的不可靠，不值得你信任。然而，有一件事你可以確定，在緊繃壓抑之中，沒有人能學會如何真誠的愛。在兩性關係中，到了某個程度，你一定要決定信任對方。沒有其他的方法可循。執著完全不管用。

在最壞的情況中，張開雙手來愛，你就增加了無法衡量的價值。即使結果令人失望，你也認清了那個你所愛的

人。你獲得了一種能力，可以告知對方，你決定了彼此之間將來的發展如何。更可能的是你會滿心喜悅地接獲對方的愛，那是一種全心全意的付出。你會更有自信心，也更能獨立自主。你將可擺脫會傷害彼此的疑惑與恐懼，自由自在。

越能張開手去愛，越能體會到放下自己掌控不了的事物的喜悅。張開的雙手，就是在準備付出與接受生命中最美好的一切。

26. 珍惜伴侶心中的那個小孩

不論我們有多老，我們的心中總是有一個小孩 —— 一個好奇的、需要人照顧、保護的小孩。這個小孩可能會不合時宜的出現，讓我們顯得頤指氣使、小氣、不成熟。

換句話說，我們體內那個年輕的靈魂會引發一些大多數是喜悅、天然的衝動。我們忘了要防護，只是充分的享受著表達自己的自由，或只是一種單純的心情騷動。我們仍然相信生活中有無窮的可能性，仍然對萬事萬物有好奇心。那樣的你可能已經被小心翼翼或痛苦所埋葬了。容許內心的小孩發芽茁壯，你就能跨越偉大的一步，建立起喜悅與希望的生活。

你可能沒有發現，你的伴侶心中孩子氣的需要，正是你們之間的壓力來源。事實上，你的伴侶可能並不清楚，那樣的衝動正是麻煩的根源。了解到每個人都需要表現出本性 —— 即使是成人 —— 你們就能彼此關心對方迫切的需

求。

支持意味著提供一個肩膀，可以讓人在哭泣時能夠有所依靠。你要容許對方表現出自己的弱點。你可能要暫時忍下想要改正什麼的衝動，單純的只是支持對方。你也可能要處理自己的價值觀。如果你總是希望伴侶是「強壯」的那一個，那麼要你支持對方可能很難。面對衝突時，學習同情對方，你給了對方一個機會忠於自己的情感。

支持對方同時包含了鼓勵。你可能要鼓勵伴侶去迎接挑戰。不論是新工作，學習新技術，或是展開一場探險，你的伴侶都可能面對著孩提時代學騎腳踏車那種混合著興奮、期盼與恐懼的情緒。你可以這樣說：「往前去吧！」或「我知道你做得到。」支持意味著不論結果如何，你都會在這裡，準備重新再鼓勵一次。

27. 試試不同的鞋子

親密關係最美好的一點，就是兩人之間緊密的聯繫讓你徹底認識了另一個人，就像認識你自己一樣。要建立這樣的認知，關鍵在於承認你的伴侶並不只是你的一半。不論你們有多親密，你的伴侶也是一個獨立的個體。這可能蠻恐怖的——我們都很害怕自己不明白的東西。但是，如果你肯花點時間，站在對方的立場想一想，你可能會感到非常的興奮鼓舞。

如果你對伴侶的某個反應覺得疑惑，就試著去找出答案。在許多情況中，你可能猜得出伴侶爲什麼會有這樣的反應。當伴侶的行爲讓你驚訝時，那才是一個機會，你可以藉此了解更多有關伴侶的事。

想辦法弄清楚伴侶的眞正觀點。如果他在解釋時，你總是在設定自己的策略或做出固定的回應，你就很難了解他心中眞正的想法了。你可能會發現他想到一些你沒想到

的事，或是有很好的理由值得重新考慮。伴侶與你分享他的觀點之後，在你做出回應之前，花一點時間，好好的思索一下，說不定最後你會改變自己的觀點。

伴侶正心煩意亂時，打開一扇溝通之門，讓他說說爲什麼會焦慮的原因。這表示你願意做個傾聽者，而不是批評或給建議的一方。你可以問問題，然後安靜地傾聽他的回答，而不必提供分析或解答。除非你暫停一下自己的想法，等待他告訴你原因，否則你無法眞正的了解伴侶內心的想法，與爲什麼會有這樣的想法。如果你成爲一個好的傾聽者，你的伴侶自然會習慣地自動告訴你他的問題所在了。

活出你想要的生活

通常人們會取消許多不該取消的事，只因爲自己沒法改變或發揮影響力。或許當機會來臨時，他們忽略了要採取主動。或者他們毫不遲疑的就接受了別人對他們的評價，就算在某種程度上他們認爲對方的想法不正確，也不會提出質疑。或許他們已經在朝向可以增進自己生活的方向走，但是他們沒有付出注意力，也錯過了那個時機。在這樣的情況下，人們通常會把責任歸咎給伴侶，卻不願意承認只有自己能改變現狀。

想要超越現狀，唯一的方法是承認積極正面的改變與成長並非來自外界，而是從你的內在開始。如何面對向你伸出的援手，如何扮演自己的角色，都會造成完全不同的結果。

如果你很少檢驗自己的生活，不妨從現在開始做起。你所選擇的方向正是你想要的嗎？你是否感受到需要塡補

的空虛感？檢查一下，並經常這麼做。

自我覺醒能幫你建立起一個基礎。但是知道要建立什麼，以及如何建立，也是非常重要的。給自己一點夢想。最好的計畫總是來自你的熱情——對人的熱情，還有追尋心中那點火光的熱情。

當你有了夢想，也確認這樣的生活方式正是你想要的生活，你就有了很好的基礎，可以做一些積極的改變。譬如，你一直想要重回校園，但是過去總是忙著滿足別人的需要，而拖延了自己的計劃。一些創意的想法與目標會讓你找出妥協的方法，讓你有機會朝自己的目標前進，同時也能支援別人。

如果你對自己的生活基本上並不滿意，就算小小的問題也會變成天大的麻煩。相反的，如果你朝自己的目標前進，不管有多緩慢，只要是能讓你興奮莫名的方向，生命就會在你眼前無限的開展。

建立橋樑而不要建立圍牆

衝突發生時，圍牆就建立起來了。在任何親密關係中都會有衝突發生。無論衝突是如何發生的，你都會本能的產生自我保護的意識。你不喜歡被攻擊、拒絕或排斥的感覺。你把自己跟結果區分開來──你們之間的關係只剩下冷酷無情、猜忌與怒氣。

攻擊是讓對方建立起防禦工事的典型材料。你在抱怨或爭論某件事時，伴侶拒絕回答，於是你就指名道姓的說出你的看法。或者你的伴侶是攻擊的一方，你握起拳頭盡力反擊。

你也可以選擇用不同的材料來建立圍牆。或許你碰到的批評指責是很合情合理的。你越是自我防備，越看不清楚伴侶所強調的觀點。你們兩人之間的圍牆建立起來了。兩人之間有爭論時，你置之不理，也會在彼此之間建立起圍牆。不論是用什麼方式建立起圍牆，你都在溝通與理解

之間建立起了藩籬，阻礙了解決問題的過程。

當你與伴侶之間漸行漸遠時，荒蕪的空間也會建立起圍牆。衝突像是炸彈的引線，在你們之間炸出一個鴻溝。這樣的空間可以用許多不同的方法來填滿。最有希望的抉擇是建一條橋。橋與圍牆不同，橋樑聯繫了雙方的情感。

在爭論的當中，你決定要傾聽伴侶說些什麼，你就是開始在兩人之間建立橋樑。給她多一點的時間，讓她充分表達自己對這個衝突的觀點。仔細傾聽，也提出明確的問題。放下自己的憂慮，眞心誠意的想辦法了解她的想法。

要建立橋樑也需要你表達自己的觀點。衝突一開始會發生，就是因爲兩個不同觀點的人各不相讓。除非你們之中有人肯傾聽，否則你們到達橋中央時也會相持不下的。

在兩人之間建立起橋樑，就是要讓衝突終結掉。要放下各自不同的觀點是很難的事。你總是又會回到自己的想法中。你希望伴侶說你是對的。最好兩人能達成共識。妥協並同意兩人之間的不同。然後放下衝突，繼續往前進。

30. 強調值得尊重的地方

你對伴侶的個性與選擇所做出的反應，對他的自尊心有極大的影響力。如果你的伴侶覺得被批判，發現自己永遠達不到標準，他就會表現得越來越有防禦心。他會開始退縮，覺得自己很差勁，開始對你發脾氣。因爲專注在負面的問題上，於是就助長這樣的情況。

其實，在面對伴侶的錯誤與弱點時，仍然可以用比較有建設性的方式來處理。如果你面對問題，想找出積極的解決方案，你就是一個眞正的伴侶與同盟，除了你，還有誰能「同甘共苦」？

首先，檢驗一下你自己的觀點。你可以在面對伴侶的缺點時，把它當作是一種無傷大雅的差異性，而不產生挫折感。在你被伴侶的問題沖昏頭之前，先做一點心靈的探索。在這樣的情況中，最好能承認自己也有缺點，就算是對自己承認也好。

世上沒有人是完美的，當然也包括你。有時候可能很難，但是向伴侶承認自己的缺點並不會造成傷害。這麼做就能強調出，無論你如何批評伴侶，總有一天這些批評也會落在你身上的。

最重要的是要確實發現伴侶身上的優點與缺點。想想看你欣賞伴侶的那一點，並且讓他知道。想到這些值得尊重的優點，原先困擾你的事似乎就沒那麼嚴重了。

持續的向伴侶表示你對他的信心。很少有比「我相信你」這樣堅定的信念更能啓發人心。問題出現時，那樣的訊息能帶引彼此朝向解決問題的方向前進。你可以用這樣的話來代替溝通：「我不敢相信你會做得這麼糟糕，我知道你一定能做得更好。」那會提醒你，這些問題並不能就此界定伴侶的人格。

強調對方值得尊重的地方，會讓你們之間建立起積極正面的力量。那會讓你們之間的關係不斷的成長。總有時候你會有些抱怨，問題也一定要面對跟解決。如果這樣的狀況是發生在彼此支援、受到尊重的環境中，你們所發生的錯誤就不會讓你分開來，反而成爲一座幫助你們通往成功的橋樑。

31. 在架構中飛翔

當我們只顧到自己的偏好，而忽略了這對兩性關係所造成的傷害時，我們就是在製造不必要的衝突與競爭。我們沒有做必要的努力，以找尋到共通的結論，獲得讓雙方都能接受的解決方案，結果就會造成敵對的情況，兩人之間的衝突就會升高了。你可以照自己的方式做，但是要付出的代價實在是太高了。

你的第一個選擇應該是合作。在這類的爭論當中，你會在重重的衝突之下找出兩人共同有興趣的地方。如果你能坐下來，找出你的伴侶能接受的妥協方案，一些小事就能歸定位，你們之間的聯繫也會更緊密。

大自然將這樣的情況美麗的描繪出來了。每一年加拿大雁子會移居幾千里之外，大多數人都看過牠們在秋季的天空中飛成人字型的模樣。當然，其中有更多我們看不見的情況。雁子往前飛行時，所造成的風力，會使順著人字型航向飛行的雁子更省力。有些雁子飛得很賣力，有些則在休息。此外，領隊的雁子飛累了，就會來到尾端，讓其他休息夠了的雁子在前面奮力飛翔。那就像是芭蕾舞似的團隊合作與支持，能加強整體的潛能，以生存繁茂下去。

人類似乎並沒有這種分享興趣的天份。我們寧可選擇衝突，而不是合作。我們必須要找出合作的意願，與對方和平共處。我們不是天生就懂得這個道理，但是我們可以從模範與經驗中學習。只要你們願意，你們就能在架構中自由的飛翔了。

32. 選擇你的位置

我們都戴著眼鏡觀察我們的生活，而我們不同的理解力就像是濾紙一樣。沒有任何濾紙會像你認爲自己落入陷阱那樣有限制性。你覺得自己被困住了 —— 被你們之間的關係、你的狀況、工作或身體情況困住了。這樣的態度會奪走你的動機與勇氣。

的確，某些情況與關係確實不符合你的希望。你可能沒想到要照顧一個殘障的伴侶。你可能達到自己訓練有素的工作頂點，不知接下來何去何從？你的家庭狀況可能用盡了你所有的資源，還妨害你掌控花費的幅度，這時候你可能就想說：「這些都不可能改變了！我掉進陷阱裡了！」

這樣的態度來自感覺，而非事實。面對缺乏彈性，毫無能力的伴侶，你可以有兩個選擇：留下來或離開。工作達到頂點的人，可以決定保持現狀，辭職去過著放浪的生活，或是重新開始新行業。家庭財務發生問題，不是努力賺錢，就是想辦法改變生活方式，避免增加花費。這些選擇聽起來有點太誇張，卻是一般人每天要面對的選擇。

重點在你的選擇創造了你的生活。伴侶的身體狀況已經糟到很難再過愛情生活時，你留下來，因爲你覺得那是對的。當你認知那是你做的選擇時，情況就改變了。你不再被不可能改變的情況限制住了。相反的，你活在自己的原則之下，勇敢的走在愛情之路上。你也可以做不同的選擇。當你能夠對自己身在何處，與什麼人相伴，要做些什麼負起責任時，你就跳出陷阱。

活在自己的選擇之中，需要先考慮一下到目前爲止，爲什麼你會做這些決定？決定了些什麼？你所做的決定是否能讓你持續下去？你認爲什麼才是最重要的？你要如何往前走？這些都是大問題。你回答的觀點會改變你對人生的看法，也會改變你的經驗。

33. 別忘了繼續累積得分

愛情中有時候會夾雜著某個持續的明顯爭論。這項爭論一開始可能只是好玩，但是隨著時間過去，再加上平日生活中的困擾與挫折，這個爭論就變成像戰爭一樣嚴重了。直到最後有人說：「你欠我一次！」爭吵才算平息下來。

不錯，能夠讓爭論暫停一下是很好的事。有時候彼此都需要妥協讓步。但如果磋商的形式變成了一種習慣，伴侶雙方就會發現彼此站在不同的方向。

施與受的親密關係不一定非照這個模式走才行。要滿足對方的需要，有時要付出很多的熱忱與努力，就和你要滿足自己是一樣的。尤其是如果你眞正感恩所謂的伴侶關係，要付出的就不只是一點點了。

充滿活力的兩性關係會隨著伴侶生命中的高低起伏而做調整。在伴侶關係中，這意味著當其中一個人覺得受傷、疲倦、有壓力時，另一個人協助他度過了低潮期；其中一個人充滿了能量與想像力時，另一個人支持他的天份與創意。每一個「得分點」，都屬於這個小組的得分，而不是個人的分數。

在團隊中，這意味著要花多一點時間來建立你們之間的團隊精神。一天中的用餐時間，或是打電話，都可以用來增加兩人之間的聯繫與溝通。固定的約會時間，暫時排除外界的干擾（包括你們的孩子），能提供你們所需要的隱私來互相支援。定期在一起討論彼此關係中特定的事務——財務、計劃、共同的憂慮、一起分享的喜悅等等，可以讓你們保持同樣的頻率，達到每一個團隊都需要做到的最佳成績。

最重要的是，要把伴侶的優點放在心上。在合作的狀態中，彼此雙方都可能有點自我中心，其實並沒有問題。只要一起為這份關係而努力，在強調自己的興趣時，也給對方充分的空間發揮自我——成為「贏家」。如果你們之

間的關係眞的有所謂的成績，那麼總結來說，最高分就是將彼此最好的一面引導出來，建立起一個贏的隊伍。

34. 先採取行動

當伴侶彼此堅持該由對方負起修正錯誤的責任，雙方都不願意改變、屈服或展開討論時，就陷入西洋棋中所謂「無子可動」的狀態。在同一個地方待太久了，難怪會僵在那裡。

另外還有一個不錯的形容詞：「鎖死」。這是兩個相當的力量在對峙，兩者糾纏在一起了。所謂的「死」就是在形容兩個動物慢慢的死去。因爲牠們把彼此綑綁在一起，根本沒法吃到食物或水。

說起來很驚人，但人們就是經常會被自己的信念所困住。他們認爲自己的道德情操都很高，拒絕從爭論中退出來。其實只要做一點點 —— 就是表現一點自己的弱點，就能開始解決問題了。

所以不管是個性或效果如何，爲什麼你不先採取行動呢？要打破僵局，需要謙遜。除非你能誠實的說出：「我

並不知道所有的故事」或「我可能錯了」，你們之間的關係才會有進展。就算你看不出自己爲什麼錯了，承認有這個可能性，也會軟化對方的態度。

打破僵局也需要移情作用。你的伴侶就跟你一樣，很有固執的理由。讓自己站在對方的立場，想想自己頑固的態度會帶給對方多大的傷害。花點時間想想看，爲什麼她會有這樣的觀點。

除非你能用不同的角度來看自己爭論的焦點，否則你們之間無法達到眞正的協調一致。

最重要的是，打破僵局也需要領導能力。你要採取主動，擬定一個計劃，開始行動。或許你會覺得這麼做是在犧牲自己的興趣，事實上卻剛好相反：當你選擇做領導者時——以身作則，表示你不想不分勝負地被「鎖死」——你就找到了自由。不論如何，你的伴侶可能還是會僵在那裡。在那樣的情況下，那就是她的問題了。而你已經擺脫一切，往前進了。

通常你往前進，軟化自己的立場時，你的伴侶也會跟著往前一步。與你所愛的人一起爲將來而努力前進，你就會發現，原來困擾你的事，似乎並不那麼重要或不可改變了。

35. 學習呼吸

自律反應——心臟、肺、神經系統、腺體不受意志控制的活動——通常是壓力的第一步反應。學習去注意這些事，能幫助你認清自己的壓力水平非常的高。你的心跳加速，全身盜汗，腎上腺素過度分泌，你會突然冒出一堆粉刺，注意到頭髮失去了光澤，或是很難集中精神。對於跟伴侶之間的爭執，你也很容易就反應過度。

經過自我認知之後，你就有機會改變自己對這些壓力的自然反應。要做積極正面的改進，當務之急就是要學習讓肉體放鬆。放鬆能讓血壓降低，平衡荷爾蒙的分泌，刺激身體釋放出腦內嗎啡，讓你能遠離痛苦。如果壓力是你生活中的一件大事，或許你需要的是找到有關放鬆的資訊與課程。但就算一般生活中只有一點點壓力的人，簡單的放鬆練習能幫助你避免在那一刻被壓力打敗了。

首先，學習如何呼吸。這對你的思考、放鬆、保持身

體上的平衡都有極大的影響。最有效益的呼吸是用盡肺部的所有力量，慢慢呼吸。這樣的呼吸方式能增進血液的循環與狀況，釋放精神與肉體上的疲乏，幫助你的身體進行自然的修復，恢復活力。

靜坐一下。專注在呼吸上，慢慢的從鼻子吸氣，然後再從腹部吐氣。這會讓你的橫隔膜往下拉，使你吸進的氣來到肺部下方。繼續呼吸，注意當肺部吸進空氣時，你的胃部與胸部是如何鼓起來的。當胸部充分的擴張時，你慢慢的數到五下，然後緩緩從鼻子把氣吐出去。先讓胸部垮下來，然後是胃部，最後是腹部。反覆練習五次。

在壓力很大的時候，這樣的呼吸方式能讓你一向的反應平緩下來。如果你讓這樣的呼吸技巧變成習慣——譬如一天練習五到十分鐘——對於放鬆與緊張狀態之間的差異性，你就會有一種嶄新的理解。

36. 用心來思考，用頭腦來感覺

許多夫妻在每天相處的生活當中，對彼此都會有某種程度的誤解。對誤解的深刻分析，可以幫助你減輕問題。乾脆承認自己並不十分了解對方，也會有幫助。你可以放慢下來，對於自己的爭議持保留態度，這會鼓勵你想辦法了解那個與你親近的人。

我們會從許多不同的方向獲得許多資訊。這些資訊會慢慢變成你的知識，在某些特殊情況下，成爲你的智慧。當我們容許自己的理性與感性——頭腦與心——一起工作時，我們就能很容易從事實中找出洞見。然而，有時候不是頭腦，就是我們的心會佔了上風，這時我們就會從一點點的誤解爆發成激烈的衝突。

想想看，當伴侶錯怪你時，會發生什麼事？你覺得受到傷害，生氣或被嚇到了。你的情緒發作出來，最後影響到你的理性。你的心過度擴張時，頭腦就呆滯了。但這是

需要用腦的珍貴時刻——你的腳踏實地、建設性、積極的思想都要派上用場。過去你在攻擊伴侶時全都是由情緒出發的，你的伴侶當然會跟你翻臉，因爲他受到傷害了。記住伴侶所擁有最值得珍惜的個性與良好的企圖。當你的頭腦對你的心說話時，你就能釐清伴侶話中的含意。這樣你就能讓那種傷害的感覺消失了。

換個角度來說，或許衝突之中帶有困惑，是因爲你讓頭腦來帶引你了。思想就跟感覺一樣，在某個時刻會很快的擴大誤解。你會發現自己在某個疑惑或恐懼中不斷的繞圈子，希望能擺脫掉這種感覺，讓自己好過一點。或許你急著下定論，停止傾聽，因爲你已經認定伴侶是有罪的了。

從現在開始運用你的心。一旦你的頭腦拋開了那條疑惑、批判、負面的路徑，你就能轉向你所儲藏的愛，讓情緒轉化你的思想。讓心與頭腦一起工作，你的思想就有更充分的資訊，幫助你超越誤解，而不是耽溺在誤解中。

37. 努力做到不同凡響

不知道是為了什麼原因，某些人在經過戀愛、相互承諾這些非凡的事件之後，彼此就落入日常相處的平凡生活了。或許他們是從父母或其他人身上學到這樣的模式。也許這只是證明了缺少能量或想像力。不論是什麼原因，在「進入」兩性關係中時，有些人的目標就放在平常的事物上，而他們所得到的也就是這些。

為什麼就這樣算了？何不將目標放在特殊、非凡、顯著的事物上 —— 通常是彼此相關，很特殊的某個時刻，或發生在彼此之間很顯著的事情上？想想看，你的朋友或鄰居可能會說：「我從沒看過一對夫妻會如此尊重對方。」或「我們羨慕他們之間美好的友誼。」

當然，沒有人能為你定義出你從彼此獨特的關係中所獲得的滿足與非凡感覺。只有你及你的伴侶知道對你倆來說最重要的是什麼。或許你們最甜美的夢想是環遊世界，

那麼你們有沒有把這件事放進日常生活的決策中？如果生活中包括了到國外旅行才符合你所謂的非凡生活，你有沒有照這個目標前進呢？

讓平凡的伴侶關係變得不平凡，會是一個好的開始。你們之中有一個人要有這樣的眼光，也決定這麼做。你可能需要負起大部分的責任。幸好，大多數人都渴望能與特殊的人共享特殊的生活。如果你開始採取行動，開始想像也確實將無聊的兩性關係提升到特殊的境界，你的伴侶就會合乎你的夢想。

不過，雖然你已經確定了目標，但還是需要兩個人一起才能創造出切確的實體。除了同意你們都想要擁有不同凡響的兩性關係外，也給自己一點時間來讓對方驚喜一下。一旦人們能找到自己想要的，知道自己的夢想是什麼時，改變就眞的會發生了。有些夫妻離開了大企業的高薪工作，在共同的合作之下，自己創辦了一個小型的事業。有些人離開了一生熟悉的環境，搬到氣候與地勢都很特殊

的地方。另外一些人參加慈善活動，海外救難工作或做醫院的義工。

有太多的可能性，就算一個圖書管理員也只能找到一半的資料。最好的研究是你自己對彼此之間做一翻研究。從對你們來說既有意義又充滿熱忱的事情開始著手。把目標放在比平凡生活更美好的生活上，你一定會找到的。

38. 拓展你的視野

經過一段時間之後，我們很容易就忽略了心中微妙的感覺與實質上的損失。這些狀況都發生得很慢，我們不太會注意到，直到有一天我們突然發現過去很容易出現的靈感，現在卻變成嚴重的挑戰。當我們不再向不同的自我挑戰時，那樣的損失就發生了。你的心靈萎縮了，變得非常不容易滿足，而且專注在微不足道的瑣事上，內心充滿了失望。

這樣的時刻就是你需要自我訓練的時候。當然，要改變身體與心理狀態可能是有原因的。生病或受傷有時會造成無法彌補的損害。如果你很幸運地多活了許多歲月，青春必然會隨著年華消逝而改變。如果你向遲鈍投降，不再追求更高的境界，你的心靈就會萎縮了。

你最近一次向自己的觀點挑戰是什麼時候的事了？聽聽不一樣的聲音——透過閱讀，聽演講，或認識完全不同

的人——拓展你的視野。那會鼓勵你重新思考自己的假設，考慮別的可能性。

你經常做一些從未做過的事嗎？或許下坡滑雪不是個好主意，但是參加慈善單位舉辦的長程慢跑如何？或是在社區假日音樂會中擔任一個角色？或是參加一個美食研習班？總之主動的參加一個新的活動，將能增進你的人際關係。

你有沒有預留一點空間給不同世代與背景的人？你有沒有參加一些包括年輕人與小孩子的活動？你從熟悉的環境中踏出一步來時，是否增添了新的經驗，認識了新朋友，得到更多的資訊？

拓展既定的視野，能擴張你的心靈，建立起自尊心。每一天你都可以持續的向自我挑戰，發展自己的個性。接觸新的觀點能讓你保持頭腦靈敏，而對人感興趣能讓你的心靈保持活力。你會一直不斷的增加洞察力、智慧與內在的靈活度。

39. 知道你是誰

在孩提及青少年時期，上學爲的是在成人之前了解一些必要的知識。然而，高中時代結束後，就會產生一些微妙的變化。當然，在這之後仍有許多値得我們學習的東西，這要看我們走的是那一個方向，而要追求更高深更熟練的知識，還需要很長的一段路途。不過隨著時間的過去，我們發現還有另一個學習的高峰，那就是如果我們想要過著有意義的生活，就需要建立起這樣的學習過程。

對某些人來說，這樣的覺醒發生在選擇大學主修科系，或是畢業後找工作，或是有很認眞交往的人時。有太多難以抉擇的可能性，有時看起來沒有一樣是很特殊的。你的選擇就就像是在「猜拳」一樣，或是乾脆屈服於導師及同學之間的壓力。問題不在他們裝進了多少的事實與技巧，而是他們到底對自己了解了多少。

認識自己是一個很重要的基礎，能讓我們建立起一種

完滿的人生。但我們必須去追尋這樣的境界，讓自己成爲研究與評估的對象。我們必須要接受困難的教訓，接納難以預期的事。

給自己一點時間來認識自己。你需要一點安靜的時間，靜靜坐著，反省沉思。如果事情發生之後，在你做出情緒性的反應之後，你沒有時間好好反省一下，你就很難更了解自己。

讓痛苦成爲你的老師。在面對損失、失敗、困窘與恐懼時，你的心理上會產生痛苦，也沒有辦法表現出自己最好的一面。痛苦會帶給你無價的教訓，讓你對自己關心的人或事做出評估，了解爲什麼生命中某些層面無法成功，同時也區分出眞實情況與你希望及想要做的是什麼。

讓熱情指引著你。那些照亮你前路的事件、地點與人物都能給你一些教訓。你可以從中發現獨特的禮物與興趣。你跟隨著自己的心走，就會發現自己在進步，其他的事情都會圓滿的解決了。

40. 做啦啦隊員，不要做批評家

說到批評，就算是再親近的人也在所難免。被批評一段時間之後，你會覺得非常孤單，不被感恩，甚至失去自信心。你甚至會更嚴厲的批評起自己來。悲哀的是，這樣的狀況並不會讓你們之間的關係變得更快樂。

如果你想要讓伴侶成爲你衷心仰慕的對象，可能沒有人能跟你匹配了。相對的，如果你能略過伴侶的缺點，你就能打從心底看到對方的優點。明白一切，只強調好的一面，你就會傳達出有影響力的訊息。

要眞心誠意的鼓勵對方，不要求任何的回報。如果你期許會有什麼樣的回應，你所付出的信賴與幫助就毫無意義了。最重要的是，在鼓勵對方時要心懷愛意。不論結果是否會讓你失望，都要以尊敬、信任與成熟的態度來鼓勵對方，你可以這麼說：「試試看，盡力而爲，最糟不過是失敗而已，那也沒有問題。」

長期的批評一個人，你會發現那個人活在你負面的預期當中。努力注意對方最好的一面，你與伴侶很快的就能建立起真正美好的關係。你會很有安全感，安適地徜徉在伴侶的世界中。在這個充滿了批評的世界裡，我們很需要那樣的一個避難所。

一切都設定爲最好的

對別人的行爲做出假設，會影響到你接收與回應的反應。因爲你的假設不同，同樣的情況會讓你覺得很快樂，也可能會讓你很生氣。

譬如一天晚上，你的伴侶回到家，手上帶著一束花。或許你們最近有很大的磨擦。你可能會對伴侶的動機起疑心。他是不是做了什麼虧心事？他以爲你已經忘了昨天晚上說的話了？你的假設是負面的。你不但剝奪了對方眞心的付出，也讓花兒的美麗失去了意義。

事實上，不論你對伴侶的動機有多疑心，除非你能找到切確的證據，否則你並不能完全明白對方心中的想法。假設對方的動機是負面的，對你也毫無益處。如果你一定要假設什麼，盡量假設好的，直到眞相被證實了再說。

也許過去的經驗污染了你，你很難在這個人身上做好的假設。如果是這樣的情況，你可以等一等，看看情況會

如何演變，先不要做任何假設。如果伴侶向你解說原由，你可以再等一下。如果他沒有說出實話，一些細節自然會出現以證明伴侶的眞心誠意。如果伴侶並不眞誠，眞相也一樣會出現的。

在做負面的假設時，你就是讓兩人之間的關係多了許多負面的感覺。生命實在太短暫，根本沒有必要去對你不知道的事大費周章。如果你眞的需要假設 —— 某些特殊的事、事情發生時你並不在場、或是另外一個人的想法 —— 就假設最好的。換個角度來說，如果你習慣依照當前發生的事來採取行動、思考與計劃，那就要訓練你的想像力在假設之前就要有想法。努力找出眞相，讓眞相在最好的時機出現。這麼做會讓你的生活中充滿平靜，也是對伴侶最起碼的尊重。

創造包容的氛圍

快速的交通狀況，迫切的溝通，繁延交錯的媒體、藝術、娛樂業，都帶給我們日常生活極大的改變。網路影響到所有的人類，不分尺寸、外型、膚色與文化。包容變成文明社會的一個印記。

然而，就算不是每個人都有這樣的奇遇，但有時候包容的教訓就在我們的前門發生了。不過同樣的道理確實適用在許多方面。在伴侶之間經常有相異之處，譬如觀點、個性、優點、習慣、性別、宗教、背景、家庭與教育的不同。這些差異性就需要你們在彼此之間創造出一種包容的氛圍。

「包容」意味著就算有時候不明白，你也一樣欣賞對伴侶來說很有意義的事。譬如你可能成長在一個經常搬家的家庭中。如果你在一個地方待太久，就會覺得坐立難安。但如果你的伴侶一生都住在自己生長的城市中，對她

來說就沒有搬家的急切需要。無論你們要如何妥協這類的差異性，開始的時候都要學會欣賞對方不同的經驗與渴望。

包容也意味著就算你不同意，也願意接納伴侶的信仰。人們的信仰對自己來說都含有深意。尊敬伴侶，其中有一部份也是要尊敬他的信仰。或許經過一段時間，你也可能發展出同樣的信仰。但你可以確信，那絕不會是出自憎恨或變節的改變。那是在愛與包容之下產生的結果。

如果你們的文化背景不同，你可能會發現伴侶的家人真的很討厭或侵犯到你。但是如果這些對她來說很重要，你卻堅持要照自己的規矩來做，就是對她不公平。想出妥協的辦法，或是融合不同的文化背景，讓每個人都覺得快樂。最重要的是，一個兼容並蓄的家庭，需要每個人都付出愛與尊敬。

43. 不要揭瘡疤

我們一生當中都會受到不同的傷害。磨擦與挑毛病只會折磨我們的情緒，傷害自我。成人之後，我們建立起健康、浪漫的兩性關係，絕不想再受到意志的鬥爭、小小的背叛與誤解所造成的傷害。那樣的創傷仍然會讓我們痛苦，仍然需要時間才能治癒。我們仍然像小時候一樣，在揭傷疤時依然會覺得很不自在。

傷口需要清理。如果你是因爲兩性關係的問題而受傷害，就要正視問題，對伴侶說出你的想法。用不著開啓一項爭端，只要說出：「那件事發生時，我的感覺是這樣的，而我一直沒辦法讓這樣的感覺消失掉。」就夠了。最好是你們能談開來，一起掉些眼淚，然後忘掉這件事。

只要願意寬恕，不管你是否眞的忘記了痛苦，你都在給自己一個療傷止痛的機會。如果你還是懷著痛苦 —— 你有一個傷疤，卻一直去扒搔 —— 你就不是眞正的在寬恕對

方。只要你一直在揭傷疤，傷口就一直會流血。原諒那個傷害你的人，讓自己從侮辱中解脫出來，開始爲自己療傷止痛。肉體上的傷疤是一種隱喻，只要在過程中有點耐心，你可能根本就不會注意到有個傷疤了。

親密的兩性關係——尤其是生活在一起的伴侶——總難免會有意見不合、彼此傷害與爭執的時刻。發生過一次的事很可能下次會再發生。這樣的情況出現時，可以像是在舊傷口上施加的一點點壓力，你可能已經忘了原來的傷口，很快就痊癒了。然後有一天烏雲來了，大雨落下，你又變得精疲力竭。在那樣的時刻，你可能沒法忘懷掉所有的記憶與感覺——但卻可以公平的對抗這一切。

處理眼前的爭論。在親密的關係中，沒有人能修補所有的過錯與失誤。在討論新問題時，盡量避免揭瘡疤。坦承自己的痛苦，清理舊創，原諒一切。如果有必要，讓舊創繼續疼痛，但不要理會，等待它們自行痊癒。

歡笑是容易的

在面對生命中的壓力時，歡笑會減輕心理上的重擔。那會幫助你不要把事情看得太嚴重，擺脫掉恐懼與退縮。在微笑時，你的身體會產生化學變化，驅散憂鬱，放鬆焦慮。歡笑對兩性關係很有幫助。就在你想要扔一隻鞋子，或流出眼淚時，你可能會突然發現這個爭論有多無聊，而突然之間爆笑起來。

當然，在笑的人也可能是冷酷無情或具有毀滅性的。傳統善意的老式笑話與譏笑別人的自尊或尊嚴之間，有很大的差別。觀察一下過去的經驗，看看歡笑所帶來的祝福，你會讓自己的人生更有樂趣。

首先要笑自己。能這麼做的人就比別人更從容不迫。

避免取笑別人。取笑別人意味著你深深的傷到對方了。幽默不是取笑，而是隱藏在事實中。有時候你取笑的人可能不在意，跟著你笑。但仍然不值得嘗試。你很容易

觸犯到別人的敏感之處，造成痛苦。

永遠與人分享笑話。一個人竊笑會讓人產生不安感。如果你覺得有趣的事卻不肯與人分享，問問看自己爲什麼？很可能你把幽默當成了武器，或是有負面的態度。只要用對地方，歡笑就是一種良藥。

讓歡笑展現你對伴侶最深的喜悅與快樂，一起歡笑，分享美好的時光，這比起對伴侶說出愛與珍惜的上百個保證都有效。

45. 學習隱退的藝術

總有些時刻，安靜與孤獨比什麼都還要重要。我們可能喜歡沉浸在自己的思緒中，慢慢醒來。在工作完畢或照顧孩子之後，我們可能需要半個小時減壓時間，才能再跟別人相處。或許在處理問題的當中，我們需要一點時間冷靜一下，重新再想一遍。一個人居住，這樣的時間與空間完全在你掌握之中。和伴侶住在一起，這就不是你能掌握的事了。

如果其中一位伴侶缺乏獨處與情緒上的空間，一點小事也會爆發成大問題。通常，伴侶會出現一些未說出口的訊號，這時你就要警惕他可能有這樣的需要了。在這樣的情況下，了解對方只是想要隱退一下，會省去很多不必要的混亂。但是如果要對雙方都很公平，最好能表現出需要安靜的訊息，而不只是保持沉默，做出簡短的回應，或是擺出不高興的態度。

這是個絕對需要討論的議題，但千萬不要在事情發生的當時討論。每個人都需要擁有自己的空間。對一個喜歡社交活動、愛說話的人來說，看到另一個人寧可獨處，似乎有點怪怪的，甚至有受傷害的感覺。一旦你打開溝通之門，當對方覺得需要安靜獨處時，你仍然可以找到溝通的方法。你只需要說：「我現在需要一點獨處的時間，等一下再討論這件事。」或是「這是屬於我個人的時間，用不著擔心。」雙方都同意，獨處的需要是很正當的，只要在必要的時候想出溝通的辦法，你就是給彼此的關係帶來莫大的好處，也是對伴侶莫大的尊重。

一天至少幫助對方一次

在親密關係中，需要經常的磋商。每個人對花費與收入做了多少的貢獻？誰該換新車？晚餐外出地點該由誰決定？伴侶之間的磋商像是在表達彼此的愛意與支持，因此兩人之間保持平衡，不但是公平的，也會讓雙方都獲得滿足。

在你的溝通模式中，你可能會認為彼此之間應該公平的對待。兩性關係就是要公平與合作。那是一種雙方同意的契約關係。你可以說，從許多層面來看，兩性關係就跟企業之間的合作契約很類似。但是在兩性關係中含有極為強烈的情緒因素，因此比一個好合約含有更多的變數。

只是依照權利義務來執行的關係會產生許多的疑惑與不滿。這並不是說你沒有做到你說了要做的事，而是你好像並不關心，也不打算多做一點。這樣的情況在兩個愛人之間發生時，就會在彼此之間造成幾千個小小的傷口，不

可能再壓抑或處理——只會經過時間而越來越嚴重。

當你超越了自己的意見，希望能跟對方達成協議時，你就是在表現自己的愛。或許只是答應做一下通常是伴侶在做的家務事，或許只是清理伴侶留下來的髒亂，或只是帶一束花回家，不需要任何理由，或是幫他找一張對他來說很重要的入場券。對於兩人已經磋商好的事多做一點，就跟你忽略了要執行責任一樣意義重大。在表現自己的感情時，只需要說：「我愛你。」同時，「謝謝你也愛我。」

47. 做一個你也想要擁有的伴侶

在上個世紀，物理學家發明了一個驚人的理論。後來海森堡將這個概念融會成一個「不確定原理」，意思大約是：因爲我們活在一個需要跟人產生關聯的世界裡，我們不可能擺脫其他部分或我們自己，來做單獨的研究或觀察。就算是在單純的研究中，我們本身也會產生影響。因爲我們的研究改變了我們研究的結果。

在人際關係中，有時候我們會習慣把對方跟自己看作是一個固定的整體。在某些時候，這樣的態度毫無問題，但在另外一些時候，這些習慣會蒙蔽我們的知覺，我們會把對方歸類爲「這個人就是如此」，然後像個哲學家聳聳肩，繼續往前進。

但是如果這些事累積起來，造成非常不愉快的後果，或是因此對伴侶固定了觀點，你們之間的關係，甚至連你自己都變成了麻煩，而且這些事從一開始就困擾你到現

在。你開始想，除非伴侶改變，否則你就不會快樂了。而你認爲這是不可能的事。

想想看海森堡的原理。或許你的伴侶不想改變，但這並不表示你不能變。依照海森堡的原理，你所觀察與經驗到的一部份是跟你自己直接有關的，如果你改變了，你身邊的一切都會隨之改變，這當然也包括你的伴侶。

當然，你的改變將會導致不同的結果。決定好你想要成爲怎樣的一個人 —— 以及怎樣的伴侶。如果你並不清楚自己爲什麼不快樂，釐清一下你想要在伴侶關係中獲得什麼？不要讓自己分散注意力，努力找到自己想要的，以及要達到目標的方法。

研究完畢之後，就要開始行動。釐清問題只是你可以改變自己想法與行爲的開始，你將會因此成爲你更想要成爲的那個人與伴侶。每天注意練習一下，直到習慣成自然，然後再繼續進行其他的改變。

自己承擔起自己的幸福快樂，其中含有無限的滿足與

力量。此外，讓海森堡的「不確定原理」成爲你改變的基礎。對於一個已經改變的人，你的伴侶絕不會再用同樣的態度來做回應的。你改變了，你們的關係也改變了。你不會有損失，因爲你已經變成你想要成爲的那個人。

找一個理由說謝謝

當你愛上某個人時，會希望對方在你的愛中感到安全，以及享受安全感所帶來的平靜感覺。但是，你也希望知道自己是被感恩，牢記在心與充分了解的。你希望在每個請求之前聽到「請」這個字眼，還有一聲善意的「謝謝」。殷勤的向伴侶表示你深深關切著他。那樣做就是在表現對方值得你注意與尊敬。

檢驗一下你們的相處模式，做一些調整。一開始的時候，不要讓表現殷勤變成拘謹的儀式。當你記得該說謝謝或請時，卻忘了說，也不要太緊張。把伴侶放在心上，其實就是把這兩組敏感的要求隨時牢記在心。把伴侶放在心上，有一部份就是要表現出你的愛，隨時體貼對方。

來自不同背景與生長環境的人，表現殷勤的方法也各自不同。所謂尊敬伴侶，其中也包括了學習與尊敬對伴侶來說特別有深意的殷勤表現。你可以練習表現對你來說深具意義的好習慣，但也要關心伴侶所在意的是些什麼。

最重要的是，經常要找機會向對方獻殷勤。注意到伴侶對你的感覺與興趣表現出的關心，不論是大事小事，都要對他說聲謝謝。就算他所做的只是你們協商好的事，也沒有關係。能照合約來做，也是值得說聲謝謝的。

風吹的時候彎下腰來

兩性關係中的衝突有時就像一陣颶風，毫無預警就出現了，而且含有無窮的威力。不論衝突是否像颶風一樣侵襲你們，爲了要保持兩人之間的關係完滿快樂，在颶風吹來的時候，最好能像一棵樹一樣彎下腰來。

彎腰的意思並不是說不計一切代價只爲了爭取和平相處。在自尊、公平或個人尊嚴的問題上都會產生一些衝突，需要對方愼重的回應。彎腰也並不表示「在一切之上」。對伴侶卑躬屈膝的態度只會造成對方的痛苦，無法做眞誠的交流。彎腰也不代表躲避。你可能只想睜一隻眼閉一隻眼，彎下身體避免面對問題，但是下一次衝突之風又吹來時，問題又增加份量了 —— 甚至是令人無法承受的重量。

所謂彎腰眞正的含意是，在衝突之風吹來時，在反應之前先暫停一下。你覺得自己被攻擊了，你可能會自我防

衛的攻擊回去，或是直接逃跑。在親密的兩性關係中，這樣的直覺反應並不能幫助我們解決問題，因爲那樣的行爲中斷了溝通的可能性。

彎下腰來同時意味著讓自己的情緒穩定下來，等風息止。想想看，有一棵樹被風吹襲著，樹木朝一方彎下腰，以免被風吹斷，但最後又回復到原來的方向。只有當它顫抖著保持沉靜，才能再次回復美好的原貌。

彎腰意味著保持內心的穩定，了解自己所珍惜的感情是什麼。這需要經常在心理與情緒上做鍛練。面對伴侶的批評與脾氣時，你可能很難看到你所愛的那個人。但是如果你經常練習注意伴侶在平靜的狀態下是何種態度，或是經常注意你所愛的是什麼，儲存起那些積極的印象，在情況很糟時，你也可以有一些安慰的資源。那會讓你放下自己的防禦心，傾聽眞正干擾到伴侶的是什麼。

盡情品嚐每一種滋味

通常，人們不是不注意，就是忘了感恩日常生活中一些獨特的時刻或小小的樂趣。他們每天盡量吃、盡量享受，卻仍然懷疑著爲什麼沒有享受到美好的時光。只要人們繼續匆匆忙忙過日子，他們就會錯過出口的標誌——那可能會帶引他們進入一個更好的另類生活方式。

具有貪食傾向的人想找人幫忙處理體重過重的問題時，專家通常會建議他們注意自己的飲食習慣是什麼？他們是否站在打開的冰箱前面大吃大喝？在準備正餐時是不是先吃了點心？專家說，吃東西的時候急急忙忙，或是沒有集中注意力，會讓吃的人錯過了情緒上的滿足感——也就是讓他們維持營養的正常的量——結果他們會繼續往下吃，最後就變成過食了。

我們生活中的每一天都是一份充滿營養的美妙菜單。有些是眞正的食物，有些是聰明智慧、情緒、兩性關係與心靈感受。一天結束時，你所感受到的滿足感不是來自你這一天過得有多忙或跟誰度過這一天，而是來自這一天你是如何活過來的。

專家給貪食症的建議是設計一個營養又實用的三餐菜單。他們把吃這種狂熱的活動 —— 避免無聊、沮喪與焦慮的自我治療 —— 轉化爲對身體、精神與心靈都有幫助的營養菜單。

想要戰勝這種一般的生活模式是很困難的事。先從你這一天的生活開始作計劃。你的身體需要照顧與餵養。事業對你也有特別的要求。還有伴侶需要你體貼，另外像孩子、寵物或其他責任都要你來關心。不過大多數的日子也都還是有空閒的時間。想想看，在活動與反省、工作與玩耍、責任與放鬆充電之間，怎麼樣才能保持平衡？一天當中如果沒有包括滋養心靈的項目，這一天就算是營養缺乏的一天。

你照著一天的計劃過完之後，想想看你是怎麼過的。

譬如你要整理院子，只要在那段時間做就行了。你先計劃好在這段時間要做多少事，時間到了你也接近完成的目標，就算是完成了大計劃中的一件小事也無妨。然後著手做下一件事，感恩自己所完成的一切。

用這樣的態度來過每天的生活，你的生活會有很大的改變。你花時間做好計劃後，就要全神貫注在自己所做的事情上，然後盡情的品嚐其中的滋味。你的洞察力會增加，那會幫助你活得更充實、更滿足。

別將對方當囚犯

曾經有人說過：「在愛情與戰爭中，一切平等。」遺憾的是，如果你眞的依照這個格言來指引你的愛情，愛情通常就會變成戰爭了。對長程的兩性關係來說，沒有什麼比得上最基本的公平遊戲精神，如果缺乏這樣的精神，也沒有任何事能對你們之間的信賴與尊重造成莫大的損害。

在兩性關係中，怎麼樣才算是公平呢？這表示著在伴侶關係之間一種共通的理解。你們一定會對各式各樣的議題表示出：「這個沒問題，那個不行。」的態度。在戀愛關係中，眞心與誠實是最重要的。如何處理爭議，如何與親戚或對方前任丈夫或妻子相處，如何分擔家務事，這些都是需要考慮到的問題。在這些問題的背面，就是定義公平與否的標準——不只是一般性的，而是對你來說更是如此。

如果一開始雙方就沒有達到這樣的共識，兩人之間的

壓力就來了。在這樣的狀況下，首先要做的是暫停一下，先討論清楚規則與變數的問題。如果你們從來沒有眞正注意過彼此關係中的「規則」，現在就是定出規則的時候了。

假設對於彼此相處的規則，你們擁有共同的理念，然後再加上這樣的附屬條文：「在遊戲中間改變規則是不公平的」。如果你認爲有些事需要再考慮一下，也一定要兩人一起討論。改變一項共識需要雙方面的參予與滿意才行。

在任何一種關係中，總是會冒出各式各樣沒有清楚答案的議題。就算是在彼此非常了解對方的伴侶之間，也會出現同樣的問題。當曖昧不清的情況發生時，要熱忱殷切的一起把問題找出來。同樣的，要避免偷襲對方——你準備要提出什麼事來，但是你希望伴侶能依照你的期許做出反應，於是兩人相聚時你提出問題來，然後讓伴侶要拒絕卻不知如何開口。這只是一點小小的敲詐，卻可能很快就

破壞了你們之間的關係。既然你也身在其中，就不要把對方當作是囚犯。把孩子、伴侶或朋友當作自己慾望的人質，並不是公平的做法。

你該做到的最底線是：讓彼此的關係越來越提升。在提升的過程中，你就會建造出踏實又滿意的兩性關係。

52. 分攤勞力

讓家務事的運作順遂，在管理與分攤責任時讓壓力減到最輕。雖然如此，壓力還是會隨著家務事而出現——不論是多麼小的壓力。每次當你一回到家，看到一些礙眼的事，就很難保持冷靜了。爲了避免這些小事變成大事，値得你花些精神來努力。

譬如，一對夫妻在剛結婚時，會一起分擔家務事。誰該做些什麼，可能是依照他們父母過去習慣的做法，或是依照個人優勢與偏好來區分。然而，通常這類早期的決定都還是有些値得商榷的。自以爲是優點的地方，結果發現並不怎麼樣，個人偏好也會改變，父母親的樣本對不同世代、不同個性、不同生活方式的人來說根本行不通。於是，壓力開始出現了。

隨著人性所追求的有變化，充滿活力的基本需求，壓力也會變得越來越大。家務事會變成毫無回饋的瑣事；要

洗的衣服永遠比乾淨的衣服多；屋子才剛剛打掃過，看起來就又髒了；廚房裡也永遠有要洗的盤子。

做一些簡單的變化像是定期更換家務事的項目，能產生積極的影響。那會消除無聊感，能夠讓你用新鮮的眼光看待不同的瑣事，也會感激伴侶能夠承擔這件工作。只要偶而能讓一個人的工作變成兩人一組的工作，就能讓你創造出新的能量。除了讓對方分擔一半的家務事，你們也多了一個相處的機會。

最具有鼓舞作用、同時也是大家的最愛便是 —— 給彼此一段休假的時間。例如，由其中一個人答應承擔整週的家務事，或是有些小地方暫時不要太注意。如果能力夠的話，最好的方法是請人來做通常是夫妻自己在承擔的家務事。

不論解決方案是什麼，只要發揮一點創意，就能讓家務事擺脫壓力圈，根本不值得為這些小事而抓狂。

53. 休息一下

彼此稍微分開一下，會讓一些小問題化解開來。彼此分開的時間可能是在做不同的工作，或是參加不同的活動或組織，而這確實會產生鼓舞的力量。同樣的，一個人去上課，或是做社區服務義工，也很有效。不過有時候眞正需要的是實際的離開一下 —— 暫時離開伴侶，不再有怨言，也沒有例行公事，只是讓自己重新充電一下。

你可以在自己喜歡的鄰近城鎭裡花上一天或一個週末的時間。或者你可以到遠一點的地方去看朋友或親戚，享受難得的一對一的珍貴時間。或者你可以做一趟研究之旅，爲你的工作生涯增添一點活力。或是到靜思中心去，專注在自己的心靈活動上，與自己的信仰重新聯繫起來。

分離一段時間絕對能在彼此的關係中增添嶄新的洞察力。沒有外在的衝擊，你們之間的關係可能會越來越狹隘。這也難怪你會反應過度，或是感受到難以言喻的壓力。當你衝出去，認識更多的人，體會到不同的經驗與關懷時，你會重新發現，你們之間的關係只是一個巨大實體中的一小部份而已。

當然，暫時的分離還有一個邊際效益，就是重新聚首。第一眼看到你所愛的人時，會讓你回想到當初愛上對方的情景。你會注意到對方的特質，那是以前你認爲理所當然的事。因爲能與所愛分享人生，會讓你的心情重新振奮起來。

就像你需要偶而充電一下，你的伴侶也一樣。也給他一點休息的空間。這麼做，你就是在尊重伴侶，偶而他也有想要分開一下的需要。而伴侶不在家時，你也可以用嶄新的眼光來觀察這個家。在對方回來的時候，你更有機會在彼此的關係中創造出嶄新的氣息。

54. 改變景緻

十九世紀末，印象畫派第一次出現時，他們的畫風與使用的色彩，都是前所未見的，因此震驚了全世界。他們怎能將平凡的生活與傳統的畫風轉化爲如此驚人的表現？在他們的新手法之下是嶄新的觀點。

他們在研究繪畫主題時，並不是專注在物質的實體，而是更注意到光影與氣氛的營造。物質的實體是不會改變的。但這些物體是如何呈現出自己的，而他們又要如何表現出物體表面每一次的光影浮動，如何畫出週遭圍繞的風景呢？

在持續不斷的親密關係中，日常生活與傳統的拉力是很強的。你從固定的方式與內涵來理解伴侶與你自己。你們之間的堅定關係，彼此之間的協議，從很多方面都帶給你安全感與力量。但是從另一方面來看，你可能會對眼中所見的眞實感到極爲疲憊——你們之間不同的特性，共同擔憂的事，過去的背景，未來的計劃──你失去了彈性與成長的機會。你沒法看到小事是如何發生的，等問題冒出來時，你也看不到新的可能性與解決方案。

有時候用一種嶄新的觀點來看熟悉的兩性關係，或是問題發生時，這時都需要在觀點上做一些改變。改變你看待這段關係的角度。一對伴侶可能會太過習慣於日常的生活，忙著應付每一天的需要，根本沒有時間給自己一點嶄新的觀點。事實上那需要付出的時間與努力，甚至比平時在做的事還要少。

想想看你們的伴侶生活。你們最近一次遠離塵囂是什麼時候？那需要一點想像力與研究。你最近一次讓自己進入一個完全陌生的風景、陌生的國度是什麼時候？在一個對你們彼此來說都是異地他鄉的地方，可能很難強調你們發現了什麼新潛能。其實不一定要是異地他鄉，如果是也無妨。只要把自己從熟悉的環境中拉出來，放在不同的地點，原本固定的觀點就會改變了，你可以擁有新的想法，

爲彼此關係創造出新的生命。

分享彼此的生命，需要不斷的注入新感覺與新觀點，擺脫陳腐的往昔。你總是經常讓自己有嶄新的觀點，就能讓自己充滿想像力，也能讓彼此的生命充滿活力。你們可以轉化平凡，更新視野，擁有高品質的美麗遠景。

55. 享受付出

生活在一起需要公平的磋商。雖然，這樣的分享在半途中有時候會變得太沉重，而難以負荷。共同分擔的家務事變成了計分表，公平的付出變成了以牙還牙。隨著時間過去，你會越專注在不滿足的地方，而忽略了滿足的地方。在這樣的過程中，你失去了所有優雅氣度，無法再滋潤相愛的關係，也不能再擴大心靈的視野。

你是否經常在付出時又加上一連串的附加條件？你付出的是否比實際需要的還多？這都需要多加一點努力。你這麼做了，就會發現自己擁有比想像中還要廣大的資源。不只如此。你還發現自己付出的能力增加了，因爲在心靈的層面上來說，你已經獲得了你所付出的一切。

有時候只是因爲你能付出而付出，這也是很好的事。爲對方做一些事，不要求感恩的回報。最悲哀的是某一天早上醒來，後悔著當你有機會時，卻沒有說出或做出的

事。今天就是一個不再回來的機會。

你在付出時，不論是付出時間、家事、活動、禮物或親切的言詞，只因爲你願意付出而付出，讓美德本身就是一種收穫。沒有人會讓你感到失望，因爲你並不期望回報。

記住，付出是愛的基本語言，能夠有人與你分享人生就是一種特權。你們之間的關係就是一種禮物，不要任意浪費了。讓你的付出說出你心中感受到的愛。

56. 驅除恐懼

恐懼很可能是種很可怕的模樣，就像你小時候很擔心的躲在床底下的鬼怪 —— 陰影比實體還要大，看起來很嚇唬人，實際上卻未經驗證過。如果你不積極的採取行動來檢驗一下，恐懼可能會經常出現在你的生活與愛之中。

你是不是很擔心你們辦的大筆貸款會帶來什麼樣的後果？你是否擔心伴侶的健康問題，影響到你將來的健康問題？你是否擔心著別人終有一天看穿你的眞相這些恐懼也許不一定都正確，但是每天背著這樣一堆重擔到處跑，只會讓你壓力倍增，而不會快樂。

在你想辦法整理有關恐懼的心理之前，你必須要承認有這麼一回事，給它一個名稱。

以未付清的貸款來說，你是不是擔心付不出貸款，銀行就會把你轟出屋子？你是不是擔心有貸款意味著你們的判斷力或能力還有待證明？或許你擔心別人發現你們根本

沒有實際的財富？給自己的恐懼一個眞實的名字，就是超越恐懼的第一步。

一旦看清楚恐懼的眞面目，就有可能想出應對的方法。在某些狀況中，特別是你的恐懼是有實際原因的，下一步就是要找出可能的辦法，收集更多的資訊。法律上關於破產的規定是什麼？有沒有什麼辦法能幫助你將貸款整合一下的？如果你的朋友發現了，你希望他們怎麼想或怎麼做？你眞的在意那些以這件事來論斷你的朋友嗎？

有些恐懼沒有眞正的答案。你的父親有一種家族遺傳的疾病，你很擔心自己也會遺傳到。或許你可以收集更多資訊，接受檢驗或採取積極行動，平息心中的恐懼。面對將來你的伴侶可能會失去行動能力的可能性，做一個意外事故的計畫是有必要的。在某些情況中，你只要知道自己並不清楚未來會發生什麼，盡量活在現在，享受此時此刻充實的人生。

在每個人的生命中都會有恐懼與不確定的感覺。我們

可以成爲這些恐懼的奴隸，也可以面對他們，把他們放下，每一天都能盡情的活出最美好的人生。

做自己最好的朋友

長期來說，如果你不想爲一些小事、一些受傷害的感覺而抓狂，你就必須要有自尊，而這自尊必須來自你的內在，而非外在。你可能有一些經常會支持你的朋友、家人，你的伴侶可能經常會說些支持你的驚人之語。如果眞是如此，你就是千萬人中唯一的一個幸運兒 —— 就算如此，你還是會碰到支持你的人沒空，或沒注意到要支持你的時候。你會發現自己必須要做一些不會爲自己贏得任何掌聲的決定或行動。你知道就算沒有人贊成，你也必須要這麼做。站在正直的立場，你必須要做自己最好的朋友。

對許多人來說，這是生命中一項偉大的挑戰。我們還是個孩子時，我們被鼓勵要注重成績單，遵守儀式，爭取獎勵與進步，這些都在說明我們對自己的看法。人際關係變成了一面鏡子，我們從別人身上看到的反應，成爲自我表現的衡量標準。要擺脫這樣的依賴性，進而做到自我肯

定，就需要很多的努力、反省與勇氣。

一開始的時候，給自己一點空間。你是一個在進行中的工作。就算在最佳狀態，你仍然會犯錯，做錯事，或是行動太慢、太快或根本沒做。你絕不完美——就跟其他人一樣。

接受自己的缺點，就是信任自己。不完美並不會損害到你的好品質與你完成的美好工作。良好的用意足以讓你受到承認與尊敬。

或許，做自己的好朋友最重要的一點就是關心自己。對待自己就像是你希望別人如此對待你，或是你對待最要好的朋友一樣。要確定自己花時間也努力在維繫健康的習性。經常滋養心靈，遵循正軌，活出充滿美德的生活。給自己一些美好的心靈糧食來咀嚼。當你開始注意自己變成什麼樣的人，你生活的眞正面貌是什麼之後，你會更欣賞自己，而不再依賴別人的評斷。

尊重對方的秘密

親密關係會讓我們成爲寶藏的發掘者，我們知道了彼此的秘密，從我們最笨的錯誤、最深的恐懼到最煩人的個人習性，無所不知。從了解對方與被對方了解之中，我們獲得了最大的喜悅。我們跟這個最特別的朋友在一起，覺得自由與放鬆，所有的藩籬都解除掉了。

但是對於生活伴侶的隱私擁有知的特權，卻也可能成爲一柄上了子彈的槍，你可能很容易就拿起來掃射。你可能抓到一些未解決的把柄，想要有個聽眾來聽聽看；或是你只是想在大家聚會時有個好話題可以聊聊，所以你就把伴侶揮霍的事當作是笑話來說了。

不論是什麼理由，這都會在彼此的親密關係中打破一個洞。不論你所說的事有多微不足道或無傷大雅，你都背叛了彼此的信任。這將要付出的代價，不是你的伴侶感覺受傷，就是他決定要還以顏色。

當你決定要揭露伴侶的隱私時，他的自信與尊嚴立刻受到了挑戰。不論你們之間有多親密，你也不可能爬進伴侶的內心，去感覺他的感受，或去想他的想法。就算伴侶跟你一起公開自己的秘密，你也不能確定那樣一定沒有問題。通常在與人相處時，人們會傾向於掩飾自己眞正的感覺，以免讓對方覺得不舒服。他們表面上看來毫不在意，實際上仍然有受傷的感覺。

很可能是你的伴侶自己提起這個故事的，然後他要你加入；或許你的伴侶對某些個人隱私並不在意。問題在你並不知道那一個主題才是安全的，也不知道情況會如何改變。我們昨天覺得不怎麼樣的事，明天可能感覺就不同了。

要尊重你所知的秘密，唯一的方法就是：只有你知道就好。如果你的伴侶開始提起，就笑一笑，讓他說完話。如果一起聚會的人決定要公開一些秘密當作是話題，你最好把嘴閉上。如果你跟一些專門喜歡說八卦的在一起，想

辦法把他們引走——或是換一些不同的夥伴。如果不管怎麼做，你都失敗了，那就找一個理由原諒自己。最重要的是，你要對把隱私當作話題這件事負起責任。沒有人會強迫你說些什麼。說與不說，決定權都在你手中。

59. 扔雪球

親密關係就像是你的一個世界。讓這個世界運轉是最重要不過的事。你的眞心誠意表現在你是解決問題的一方，而不是製造問題的一方。你的努力絕對有價值，你們之間的關係也絕對會有出乎意料的莫大的好處，然而……

有時候你就是太嚴肅了。我們很可能會對一個問題過度的努力——就像是在重要清單上列的第一要務。就跟努力工作一樣，美好時光與開懷大笑對彼此的關係也有積極正面的影響。偶而也該輕鬆一下，讓一些好玩的事取代正事一下。

試著做一件好玩的事，假設一整天當中你的肩頭都扛著一架攝影機，只注意生活中輕鬆愉快的一面。事實上，你所背負的沮喪或重擔，絕對沒有你所扛的機器十分之一的重量。你所需要的只是換一下看東西的角度。此外，你也會發現，最好笑的時刻卻也是最有收穫也最重要的時

刻。情緒變成了恐怖電影，姿勢表情都比天還大。的確，在恐怖時刻，要跟人分享笑話是要很小心的。如果你能看出其中的荒謬，你就能挪往比較輕的那個方向了。

　　最重要的是，讓美好的時光重現，有時候讓自己好玩的衝動發揮一下。扔一下雪球。在忙碌的生涯中爲雙方留一點空閒時間，做一些「有創意」的樂事。讓一切自然而然的發生。同樣的遊戲精神從孩提時代就開始滋養你的心靈了。不管份量有多重，你都用不著全力以赴。好玩才是最重要的。遊戲是很有產能的。歡笑會治療溫柔的心，讓生命更甜美。

更新你的承諾

在還不算太久遠的過去，承諾還被當作是一件很重要的事。某個人如果說「我保證」，這就算是簽了合約一樣可靠。但是一路走來，現在人所說的話好像已經比不上紙上所記載的內容了。今天，我們的文化專門在鑽漏洞。當有人以上帝的名義做出「直到死亡我們才分開」的承諾時，他眞正的意思是：「直到死亡把我們分開……或直到我改變心意。」

最底線非常簡單。如果你跟自己的最愛彼此做了承諾，你必須要更注意自己是否信守了諾言，而非注意別人是否遵守了諾言。一對夫妻在生活中如果有嚴重到需要調停的地方，卻沒有補救過來，很可能就是關係終止的時候。在婚姻生活中，通常你會面對一些小問題，這些應該都當作是其中包含的一部份。事實上，當問題變得越來越大時，你仍然能保持承諾，這才是承諾眞正的價值所在。

爲了這個原因，你要很認眞的看待承諾，經常的關心與滋養彼此的承諾，這就是你對彼此關係最大的貢獻。

將兩人交換的誓言寫下來，一起閱讀一下或許很有助益。或許在你們的承諾當中有一些需要討論的部分，可以讓你們一起分享的歲月更愉悅一些。或許其中有些道歉的話要說。你答應過什麼？眞實的生活如何讓你的話打了折扣？你是否眞的這麼想？

或許你可以有一個機會，不只是記住，同時可以更新你的誓言。絕對不要低估儀式的力量，對你所做的承諾要有些慶典活動。譬如結婚紀念日，生日，宗教活動，或其他的紀念日，都能幫助你在誓言中增加一些神聖、莊嚴的氣氛，同時讓你注意到要更新自己的承諾。

和另一個人共同生活是很重大的抉擇。你的承諾是彼此關係的基礎，是用來保護兩顆共享一生的心靈與生活。當彼此的承諾堅強又確定時，你們之間就是眞心誠意的在分享生命，充滿信心的活著。

61. 劃分共同空間

有些夫妻很幸運，彼此之間的個性、怪癖、偏好都非常相似。絕大多數的夫妻會發現日常生活中的瑣事就是人生一大挑戰。不論是否有共同的信仰、目標或價值觀，從擠牙膏到放髒衣服的正確方式，他們都有得吵的。

找出雙方都喜歡的和解方案，對生活型態不同的兩個人來說，絕對是最好的解決辦法。有些夫妻變得越來越相似，只因爲兩人緊密的生活在一起，不再感受到當初那種獨特的個人感受，兩個人融爲一體了。另外一些夫妻則採用討價還價的方式來做完家務事。每對夫妻都是在付出他們所能付出的，而在做不到的地方會要求對方重新考慮。

但有時候這樣的解決方法就是行不通。在這樣的情況下，一對夫妻最好能設定一個中立的空間。在這裡，平時比較不注重整齊清潔的人就得注意到伴侶對整齊清潔的需要。當然，要快樂的生活在一起，就要注意到公平的原

則。其中一位伴侶要給另一位伴侶一點空間，好讓她能自在的踢掉鞋子，鬆開領口，享受對她來說眞正舒服的感覺。

要建立積極健全的兩性關係，關鍵永遠相同：彼此尊重。你用不著改變自己才能感恩對方的不同之處。但你確實要顧慮到雙方的需要，花一點精神找出滿意的方法，發揮同情心，眞心爲彼此找到自由與幸福快樂。

遠距離觀察

家庭中出現問題時，通常我們相信自己看到的是「事實」的核心。然而，在兩個獨立個體之間的眞實絕不只有一個。那是事實、觀點、感覺與觀念的綜合體。你所謂的「事實」跟伴侶所看到的完全是兩回事。眞心想要跟配偶釐清一些事，你就要承認所謂「事實」就是你要跟對方分享的一些事情。

想要擴大視野，一開始可以站在對方的立場來著想，亦即是拋棄表面化的溝通，做心與心的交流。這同時也意味著問一些沒有威脅性的問題，如：「我眞的不懂你的意思，但我很想知道你的想法。你能幫我說明一下嗎？」那也意味著要仔細傾聽。同時也代表著交談的時間要長一點，讓伴侶感到你眞的了解他的立場而覺得滿意了。

能看到衝突事件的正反，你就不會再緊抱著一個觀點或唯一的解決方案不放了。接受可能有兩種「事實」的想

法，也能讓你把問題給丟出來。這個問題對兩人的關係有多重要？當你退後一步，從更廣義的角度來看時，事情變成什麼樣子了？

給彼此一點情緒上的距離。在壓力的當中，除了手邊的問題，你可能什麼也看不見。休息一下。讓脾氣冷靜下來。把問題放在一邊，先看看在你們之間，在你的生活當中，有哪些是美好豐富的。

記住當初你們是怎麼在一起的，你想要從伴侶關係中獲得什麼？你所感受到的問題要如何放進你們共同的生活中？那是一種速限 —— 提醒你前進的速度太快或太不小心了？或者那是一個路標，指出你們須要改變方向了。更可能的是，你所經歷的只是生活中的一種跳欄的挑戰 —— 需要比平時更努力，好達到更高的目標。或許那只是生活中不起眼的小破綻。你唯一該做的就是繼續往前進。

在充滿愛的兩人生活中，大多數的小事其實都不值得我們費那麼大的勁去注意。在你將無事化爲有事之前，做一下遠距離的觀察。其實出現的問題不值得如此大驚小怪，你們之間的關係才更重要。

63. 種一棵樹

進入「眞實生活」並不代表著兩性關係中浪漫的一面就終結了。夫妻生活像是細火慢燉的食物，添加了新的香料，新的可能性，味道就更豐富了。當你們的夢想交織在一起時，你很確定你們將來仍然會在一起。你對未來有期望，你也有能力作一些努力。此外，比起這段關係剛開始時，你更有能力提供更多的資訊了。你的夢想在現實中紮根了。

你們兩人都要花一點時間，檢驗一下未來的資源，看看有那些適合你們的夢想。如果你們還沒有開始作這類的計劃，就請現在開始。用不著一開始就很複雜。一開始只要做一小部份，也是將來可以運用的資源，而你的伴侶可以幫助你完成夢想，或是提出某些可行的想法。

創造一個年度的儀式，一起慶祝你們的未來。或許你眞的想每年種一棵樹。種樹表示著新生命，更新的資源，對未來的信仰或關心後代子孫。種樹代表著愛——對彼此的愛，對後代子孫，對地球的愛。很正式的做這件事，可以敬酒，更新誓言，閱讀有意義的文章或聖經，或彼此聲明堅定的信念。種一棵樹——不論是眞的或只是比喻——都會是個經常的提醒，提醒你們相聚在一起，今天就不用再討論你的能力與潛力了。

我們很容易被現狀困住，不再花時間愉悅的相聚在一起，看看未來還有什麼遠景。比起讓夢凋零，要重建夢想是更困難的挑戰。但這並不代表你不該去努力。因爲有你的加入，會讓明天比今天更美麗。一起種一棵樹。以希望灌溉，爲你的將來深深紮根。

64. 重新訓練反射動作

任何一種模式如果重複的次數夠多 —— 無論是身體、心理，甚至情緒 —— 都會變成你的第二天性。在運動中，這可能是必勝的要訣。在這個充滿了緊急事件的世界中，那可能就是生死之間的反應。但是在愛情當中，這樣的反應卻可能帶來麻煩。

許多人可能會發展出某些反射動作。有些來自童年時代，和父母相處困難，跟其他的孩子關係不好，或是對某個老師的特定反應。另外一些時候則來自成人時期的經驗。這可能跟你們兩人的過去無關，也或者真的反應出她過去的歷史。無論是什麼樣的狀況，這樣的習慣都是很惱人的，不是波及到無辜的對方，就是在對方身上造成永遠無法磨滅的傷害。

注意一下油腔滑調的侮辱，胸口好像被刺傷的感覺，還有立刻要發作的脾氣，這些都是反射動作之前會出現的

警告紅旗。這些反應都可以預期，而且是對某些刺激所做出立即反應──某些特殊的批評、行為或情況。

不論你在自己或伴侶身上看到的反射動作是什麼，都不要輕易放過。指出問題來，好好討論一下。直接說出問題的核心，有必要就要道歉，好釐清彼此的怒氣。要非常重視這件事，你才不會毫不考慮就做出反應了。當這樣的反應又出現時，或許你願意對方能發出警告的訊號──雙方都知道，這樣的反應又出現了，你們願意一起來克服。然後一起尋找新的積極的反應方式，而放下反射動作式的反應。

65. 做對方的天堂

生活中充滿了危機。我們面對著家庭、事業、養育子女的種種恐懼與挑戰，還有來自社區活動的種種要求。其中的任何一件事都可能讓我們感到脆弱，容易受傷害。在這樣的時間裡，你最需要的是一個安全的天堂，可以讓你重新整頓一下，或休息一下。然而，在面對家庭中的危機時，你也很可能回到家就像駛進了暴風雨中。

你可能在毫不知情的狀況下，使你們之間的關係陷入了危機的風暴當中。譬如你的伴侶可能每個月都會刷很多的信用卡，這樣的行爲可能會對你造成很可怕的不安定感。欠債所代表的不只是財務上的不安全感，這樣的行爲還代表著這個人的自我控制、責任感與忠誠度都有問題。

下一次信用卡帳單又寄來時，你可能會讓挫折感爆發出來：「你根本不關心我！」或「我拒絕過這樣的生活。」這樣的聲明已經清清楚楚表達出你的立場，你已經發作

了，你的伴侶自然也會做出悲慘的回應。

現在，如果信用卡的問題確實破壞了你們之間的協議，這樣的聲明就是很適當的。對你的伴侶來說，這是很有必要的警訊，讓他知道，對你來說這個問題已經大到不可收拾。然而，通常這樣的聲明只是一種威脅，生氣的那一方也並不想走極端。在這樣的情況下，使用信用卡的人可能就會產生過度的焦慮感。這樣一來，你們之間的關係就進入了危險地帶，而不是停留在安全地帶。

在伴侶關係中，你們可以讓彼此成為對方安全的港灣。這並不是說你們之間就不會再有爭議，而是你拒絕讓這些爭議成為天大的事。

不論出現什麼樣的結果，你都接受，你就會讓彼此成為不可分離的朋友與愛人。此外，在討論問題時，要用適當的言詞，就事論事。讓對方清楚知道那些狀況會傷害到你，對雙方都有幫助。當你知道恐懼從何而來時，你們就可以一起把恐懼消滅掉了。

66. 保持後門敞開

在善於運用資源的人身上，你會找到共通的線索。他們精通「雙贏」的策略。他們不會把每一次的對抗當作是競爭，卻會認爲是一個協調的過程。他們不追求一個人出鋒頭，只打群體戰。從自我滿意的立場來看，他們接受妥協與有創意的解決方案。在工作生涯、社區生活，尤其是兩性關係中，他們都會這麼做。

聽起來好像不可思議，但是眞正的壓力出現時，你可能會發現你的第一個直覺並不是想要雙贏。事實上，對很多人來說，如果沒有聽到對方說出「你贏了」這句話，這個衝突簡直就像是永遠沒完沒了。

或許要將壓力與爭議轉變爲雙方共同解決的方案，最重要的元素就是要爲對方保留面子與尊嚴。韋伯字典將「尊嚴」定義爲「被尊重，榮耀，敬重的品質或狀態」。通常我們依照自己的方法行事時，我們對自己的伴侶會採取

命令，不尊重或貶低的態度。你的伴侶自然也會爲了自己的自尊而想辦法反駁。

想想看這樣的情景：你的伴侶要你給他建議，又不聽你的意見。最後結果並不像他想像的那樣，你就冒出了「我早跟你說過」的態度。而伴侶也不能改變現狀。你這種自以爲是的態度卻已經妨礙到他的努力了。你沒有爲他留一點後路，既沒有替他所下的錯誤決定想出更好的補救辦法，也沒有伸出作爲一個伴侶的援手，爲他解決問題。

不過，假設你是用另一種態度來面對伴侶 —— 不是幸災樂禍，而是尊敬的態度 —— 想想要如何讓對方的努力更有價值，然後一起處理問題，或許運用一些你原先認爲有幫助的方法。你的伴侶原先的企圖與努力受到尊重，他的特質沒有受到傷害，你也展現出無限的愛與尊敬。

對善意的詮釋與雙贏的策略永遠要敞開大門。問題出現時，要想辦法維繫伴侶的尊嚴。在這樣的過程中，你會以你們的關係爲榮，而成爲眞正的贏家。

67. 用手勢來說話

對大多數人來說，迷戀都有鼓勵人心的作用，而且能滿足他們的想像空間。但是親密關係與外在的要求通常會讓人緩慢下來。兩性關係的安全感會變成自滿，愛的行動也會被一些簡潔的字句所代替了。你的伴侶指責你的怠慢時，你可能會回道：「你知道我愛你！」但是記住那句老話：「行為比說話還要響亮。」

記錄一下你是如何表現愛意的。一天花幾分鐘，就算只有一週的時間也可以，將愛的行動做成一張清單。由這張清單可以看出你並沒有經常用行動來表現自己的愛。但是沒有任何關係能在缺乏愛的行動中繁榮成長。如果你疏忽了，也不要有挫敗感。就從現在開始。你可以用這樣的話作開頭：「我開始明白，我太少向你表現出你對我有多重要了。請原諒我。我會做得更好的。」

每天想出一些方法來表現你的愛，不論是家務事，社交活動，或是善意的做法都行。要注意伴侶希望你表現出愛意的方法。這些方法可能簡單到只是確定把工具歸還到工具箱中，或是在購物清單加上牙膏兩個字，都比偶而冠冕堂皇的表示「我愛你」還來得有效。

別忘了身體意識能傳送更強烈的訊息。一天結束時雙足的互相磨擦，分享歡樂時刻的擁抱，或是意外的在頸部的一吻，都會讓許多小事化無，消散無蹤了。保持這種混合著愛與溫暖的觸摸，你就是在肯定自己的愛，也願意做對方的另一半。

68. 不要爲了潮流抓狂

我們生活在一個快速矯正的時代裡。只要一出現任何挑戰，我們就會聽到有（或快要有）新發現、新發明、或新療法的承諾。如果這個承諾失敗了，或出現得太慢，我們就失去了耐心。只有當我們面對大自然威力無窮的力量，譬如面對海洋時，我們才會退一步，想到有時候就是得等一等，才會看到結果。

生命有自己的季節，人也有不同的情緒，情緒是很自然的。你如何面對情緒問題，表現出你如何面對大挑戰的能力。對每個人來說，情緒就是內在海洋之潮。把情緒當作是自然的力量，能帶引你到智慧之路。

首先，了解情緒是什麼。當你的心情低潮時，你可能會責怪某個人或某件事。讓自己擺脫掉這樣的束縛——感覺來來去去，沒有好或壞，就只是感覺而已。

或許你可以做一些外在的努力，改變內在的情緒潮

流。或許你的感覺並沒有很確切的原因。在這樣的情況下，提醒自己，情緒來了又去，這次的低潮也一樣會過去。在情緒低潮時，不要累積了一堆的負面思想。試著用運動來提升自己的情緒，或是跟朋友作伴，或改變一下環境。然而，有些情緒是急不來的，抓住那樣的感覺 —— 帶一點耐心，你就能把那樣的情緒擺脫掉了。

還要記住，低潮情緒總是會又再出現的。在面對這樣的情況時，你越能放輕鬆，低潮的情緒也就越無法掌控你，你也更能享受生活，享受你們之間的關係。情緒就是情緒 ——「不是你的問題，只是我今天情緒低落！」這樣子，對方也就用不著做出生氣或恐懼的回應了。

69. 做你所愛

熱情不是發生在我們身上，而是由我們內心迸發出來的。在戀愛的時候，我們常常會出現這樣的情況。那種感覺眞的很美妙，等到那種感覺無可奈何的消逝時，我們又會無限悔恨。對某些人來說，爲了要再度感受到那樣的美妙感覺，他們會在一段仍然在進行中的關係裡發展出不忠貞的行爲。對另一些人來說，那會形成一段又一段短暫的羅曼史，用不著對任何伴侶許下承諾。

幸福快樂當然能從肉體的激情中獲得。但是如果幸福快樂只能從性愛的激情中獲得，那就太狹隘了。即使在最佳狀態中 —— 也會因爲年紀、疾病、分離與情緒上的變化而受到傷害。熱情儲藏在更深層的意識裡，可以一生擁有，也能帶來比肉體更深刻的幸福感覺。如果你想要活出豐富，充滿活力，充實的人生 —— 尤其在兩性關係中 —— 你對熱情的了解就要超過一般媒體所認定的模式。

年紀越長，你越有機會發現自己的熱情是什麼。或許是某個人激發出你內心最深刻的熱情，或是某個原因觸動了你。一個工作或嗜好可能會點燃你的熱情，或是宗教信仰能讓你燃燒起來。任何一種能讓你驚醒的熱忱，都會激勵你發揮出最大的力量與能力。

如果你的生命缺乏活力，就做一個檢驗，看看你有沒有給自己的熱情一點空間，以及花了多少能量來追求這樣的熱情。只有你知道什麼樣的事能驚醒你，讓你活起來。也只有你能下這個決定，讓你的熱情成爲優先處理的重要項目。

你用不著去尋找一位新的伴侶，才能重新感受到激情。充實你們之間的情誼，會讓你充滿智慧的火花，滋潤你的心靈。你用不著辭去現在的工作，才能覺得自己有用。你可以做義工，發展特殊的嗜好或繼續進修，讓自己與眾不同。當你在做自己喜歡做的事時，你就是在轉化自己的生活，開始跟生命的本質談戀愛。最後，你的幸福快

樂會充斥在你們的關係之中。與其呆板的認爲彼此的關係絕不可能「從此過著幸福快樂的日子」，不如拿起火把，用內心的熱情來點燃火炬吧！

70. 以伴侶的出身為榮

如果你要面對很惹人厭的親戚，很可能你會常常將丈夫與外面的家人區隔出來。你沒有嫁給那些人。你的伴侶也不是娶了你的家人。只有那個你所嫁的人值得你衷心支持。因此你也值得對方的衷心支持。

如果你們對你自己的家人起了衝突，就要確定你眞的了解伴侶的觀點。如果你這一生都跟父母相處不好，你的伴侶可能就會因為他們給你帶來的痛苦，而對他們有負面的反應。因此在充滿壓力的家庭聚會之前，先把這個問題拿出來談一下，讓伴侶知道你需要他做什麼樣的支持。而在跟家人相聚時，也要做伴侶最忠誠的擁護者。

你的伴侶也會有自己的家人。如果能事先知道要如何對待他們，就可以避免衝突了。問問伴侶在家人相聚時你該怎麼做最輕鬆。如果他的家人並不欣賞你，你就值得伴侶全心的支持。如果毫無支援就被緊緊鎖在一起，其實是

很不公平的事。

你們雙方都需要彼此支援，才能從更有同情心的觀點來看待彼此的家庭。盡量多努力了解他們，問問他們的生活情況。有計劃的拜訪對方，很自然的創造出一些新的傳統與記憶。尊重他們的過去，就像你希望他們接受你的現在一樣。你越了解他們，越會喜歡與尊敬他們。你可能不會成爲他們最親近的朋友，但在這個家庭中，你會成爲一個充滿愛與支持的伴侶。

71. 降低音量

你是否注意到，在你生活當中的一些噪音會產生很嚴重的壓力。你可能已經很習慣了，根本不會注意到。但確實如此——就像是一些煩人的小事出現時，你可能會有點不知所措，不知道該如何處理這些麻煩事才好。

對於屋外的噪音，你一點辦法也沒有，目前並沒有更好的防治噪音污染的法令。但是在你可以控制的範圍內，你可以選擇降低生活中的噪音。

想要開始這麼做，不妨先想想有多少次，你和伴侶在談話時，電視或音響仍然開得價天響。大部分的時間裡，許多人在彼此談話時眼睛（或注意力）會在電視及伴侶身上來回穿梭著。

想想看電話的影響力。不論答錄機有多方便，想想看有多少次你們在做面對面的溝通時，卻還是被電話干擾了？一個安靜相聚的夜晚卻被朋友打來的長談電話，或是

陌生人的銷售電話打斷了？

沒有什麼比得上兩人專心一意的相處在此時此刻更能滋潤彼此的關係。幫你自己一個忙，在談話的時候把電視關掉；偶而讓電話答錄機接一下電話；在桌上擺好餐具，點燃蠟燭，不要再吃電視餐；安靜的坐在一起喝咖啡，不要聽音響。

你可以做這樣的選擇：清除生活環境中的雜音。那會帶給你長久以來未曾感受到的平靜的心。

72. 坦承錯誤

在人類歷史中，每個人都學到的教訓是我們都會犯錯，我們都因爲個性的疏失而受苦，有時候我們也是該被責怪的一部份。在愛情關係中也是如此。跟另外一個人共享的生活當中，永遠包含著痛苦、錯誤、疏忽與差錯。

人與人之間總難免會有讓對方失望的時候。他答應要去郵局拿一個重要的包裹，結果忘得一乾二淨。她原本指望他會去做這件事，結果就錯過了最後期限。她表現出極端的失望與沮喪，而他的回應則是一連串生氣的藉口及爲什麼他會忘了這件事 —— 她沒有打電話來提醒，畢竟他是在幫她的忙。現在，除了一開始的沮喪感之外，他還加上了侮辱，讓她看來像是壞人一樣 —— 她只是做了一個無辜的要求，現在卻變成被攻擊的理由。他把自己破壞了約定轉變成她很自私，兩人之間的戰火一觸即發。

假設他不把自己眞正的感覺隱藏起來 —— 因爲自己的

疏忽而破壞了約定時所產生的感覺——窘迫、愧疚自己造成她的困擾，生自己的氣；假如他就道個歉，答應會想盡辦法彌補這件事所造成的損失，一個親切熱情的人會接受他的道歉，承認我們每個人都會犯錯，讓他想想看有什麼補救的辦法。一樁意外爆發出來，留下一些傷害的感覺，就影響到互相的了解，傷害到原本想要爲對方做點好事的心意。

　　這個故事的教訓是：再大的問題也可以轉化爲可以處理的積極經驗。如果你做錯了，可以有很多的可能性。你可以努力做到這三點：承認自己的錯，請求對方的寬恕，想盡辦法來彌補。就算伴侶不肯原諒、包容你，你也會因爲自己做對了事而感到滿足與安慰。

73. 從字典中刪去「失敗」這兩個字

到底失敗是什麼？是你的企圖沒有達到目標？愚蠢的決定、粗率的行動或說錯的話？通常，你可以超越努力失敗、錯誤的判斷，或是在自尊心加上「錯誤」這兩個字之類的事。但是你卻不肯讓自己擺脫掉那些錯誤的行爲或態度。在你自己的眼光中，你變成一個失敗者。

自責是一種破壞力，不值得稱許。一點點小錯也會膨脹到需要自我控訴的重量。你可能會停止嘗試，只因爲你害怕可能會有的失敗。對於他人你會變得尖酸刻薄。在別人身上發生的好事只會讓你嫉妒。你堅持自己跟伴侶都要能達到不可能達到的標準，只會讓雙方都活得悲慘莫名。

要創造一種努力有所回報的生活方式，需要經歷一些學習的曲線。事實上，那是生命的本質，只有經過嘗試與錯誤之後，你才能眞正的學到東西。在我們的年代裡，有許多例子顯示，一些有天賦的人在學校表現很糟糕，而且

聽說也沒學到什麼。愛因斯坦數學不及格。愛迪生做了幾千次失敗的實驗，還有幾次很爛的商業投資。但是後來他們的貢獻卻有極大的影響。他們代表著無數個把生命中的錯誤當作是磨練的人們。一項功課不及格或某個行動失敗了，與其把自己看做是失敗者，不如把失敗的經驗當作是一種指引，引導自己將來做更好的抉擇。

成功與失敗都在你的字彙當中。當你的思想中出現批判的字眼時，立刻按下清除鍵。你和你的伴侶，就跟我們其他人一樣，都在進化當中。錯誤則是這個過程中的必經之路。

74. 用另一隻耳朵來傾聽

跟一個人生活在一起，會讓那個人的聲音與行動都變得好熟悉，你只需要用半邊的耳朵來傾聽，或是完全聽而不聞。只有當一些小事不符合你的期許，讓你心煩意亂時，你可能不得不面對現實，在這一路走來，你可能錯過了某些重要的訊息。你可能要用和平常不同的那隻耳朵來傾聽。

過度的反應通常是有正當的理由。當然，身體的低潮必然是來自缺乏能量與適應的技巧。永遠值得冒對方發怒的危險多問一句：「你覺得還好嗎？」如果伴侶承認說：「我頭痛得不得了。」你就可以表現出同情心，給他一些解痛藥，一切就都沒問題了。

不過，你的問題也可能得到一句冷酷的回應：「我很好！」然後門碰的一聲關上了。不要去管比較容易的解決方案，繼續傾聽。很有可能這樣的過度反應跟此時此刻的

事件沒有太大的關係。或許那樣的情緒只是借題發揮，並沒有找到眞正的原因。只是一個小麻煩打開了水閘，脾氣就發作出來了。

在這樣的時刻，最好能退一步。如果自己也開始過度反應，只會讓自己陷入毫無意義的爭吵中。面對太過度的反應，最好的方法就是平靜心情，鎭定態度。如果這突發事件是你造成的，就想辦法道歉——眞心誠意的。伴侶回應的態度很糟糕，也不能當作你做錯事的藉口。同時，按照他的回應程度表現出你的驚訝。你的伴侶或許並不知道他已經反應過度了。

在這個時候，你可能要問一下，在這個事件背後，他是否對彼此之間的關係有不滿之處？仔細傾聽言外之意，釐清對他來說非常重要的事。觀察他所暗示的事——缺乏愛、自私或極度的焦慮。

過度反應可能是因爲焦慮、生氣、傷害的感覺而來，事實上可能跟你一點關係也沒有。如果你打開一扇門，問一句：「是不是有別的事在讓你心煩？」可能會有幫助。你知道，你可能錯過了伴侶生活中的某些事，現在値得你付出一點注意力了。如果你給自己機會，你就能提供出非常有價値的另一隻傾聽的耳朵。

75. 關心你們的事

幾乎所有的書籍、雜誌、網站與電視節目都在談論如何賺錢與投資的話題。此外，只要付出合理的費用，就會有一堆的會計師與經紀商為你提供服務。但是，不論你是否找人幫忙，你都會碰到金錢所帶來的壓力，除非你花時間做計劃，努力維繫伴侶關係中的金錢財務問題。

首先，在處理彼此的財務問題時要有團隊精神，把金錢這個問題擺在檯面上。每個月開個會，檢討彼此的做法，做些改變，或決定未來的走向。不要讓財務問題溜出視線與頭腦中。如果你忽略了這個現代生活的基礎，問題很容易就產生了。

雙方都要清楚彼此的財務狀況。付清的帳單與平衡的收支是很好的表現，但卻不能因此忽略了雙方的狀況。你們要一起清查帳單，隨時檢查收支平衡狀態。知道這些事會讓你做出聰明的決定。

共同定出一個預算，能呼應你們的資源、目標與輕重緩急。在做不固定的開銷計劃之前，先將固定的開支、慈善捐款、長期儲蓄與投資放在一邊。面面俱到，腳踏實地的財務計劃能讓一對伴侶在日常生活中解除極大的焦慮與摩擦。

最後，彼此幫助，一起依照預算來過活。如果你們彼此幫助，按照預算來生活，你們就立刻解決了夫妻之間經常會出現的最糟糕的財務問題了。

76. 應用「暫停」策略

所有的夫妻之間都會有爭執。以人性來說，至少有些爭執是無法避免的。最好的保護方式就是學習如何處理這些問題，讓問題盡快，而且毫無痛苦的解決掉。

發生爭執的時候，首先要考慮是否有什麼時間或地點，可以更有效的解決問題？一般來說，公眾場合不是解決爭端的好地方。家庭聚會或「睡著了」的孩子房門外的走道也不是恰當的場所。任何時間或地點，只要會節外生枝，譬如有人偷聽或有其他活動（睡覺、做愛、吃東西等等），任何會對原來的衝突造成窘迫狀態的情況，這時都要有叫「暫停」的決心。同樣的，如果你發現氣氛已經不可以理性來收拾了，就暫時退一步。暫時休兵一下，直到你的血壓正常，回覆理智之後再說。

重新再討論衝突事件時，要將焦點集中在問題的本身。給彼此一點時間，讓你們的聲音、觀點、想法都能找到最好的解決方案。避免大吼大叫。你叫得越大聲，伴侶越聽不見你說什麼。避免下定論（你永遠……你從不……），這樣只會讓戰火升高。如果你口頭上將伴侶逼到死角，以證明她是錯的，她就會以牙還牙，你們不是吵得更激烈，就是終止討論。

你們找到解決方案時，彼此就要同意這就是結束了。如果你們之中還有人再提起，另一個人就可以罵他犯規了。爭執是無法避免的，但你們可以想辦法花時間解決問題，讓大事化小，小事化無。

77. 隨時注意聰明的點子

你和伴侶都在進化當中。你們之間的關係呈現出你們進展的活力。你們的環境也一直在變化中。你的家人年紀漸長，也在變化之中。你的朋友圈擴大、縮小又擴大了。你們之間的關係也變化著不同的要求。

運用你的觀察力，向別人學習。你身邊有許多夫妻，生活狀態各自不同，經驗也大不相同。這些人包括你的父母親、家人親戚與朋友，甚至可能包括鄰居、同事或是社區組織的成員。

你所看到或聽到的夫妻相處之道，並非一定要照單全收，但觀察是絕對必要的。一對彼此始終相愛的夫妻，或許會給你一點提醒，讓你想想要如何在你們的關係中創造這樣的氣氛。相反的，跟一對經常爭吵的夫妻相處在一起，會提醒你這樣的關係有多悲慘。

書籍、訪問、演講活動都會幫助你看清楚許多不同的溝通方式與兩性議題。有時候你覺得非得研究某一個主題不可，卻不一定是發生問題的時候。在你親自面對夫妻間一些困難的挑戰之前，你已經收集到一些實際可用的資訊了。

或許要接受來自外界適時的意見與明智的建議，是最困難的事。但是別人有更多的經驗與智慧，確實值得你學習，也能讓你看清楚自己看不到的地方。當別人對你提出建議時，你用不著全盤接受，但卻應該檢驗一下。

78. 保養身體

我們很容易將情緒爆發與過度反應歸咎於心理上的問題，而忽略了肉體上的平衡問題。不過確實有證據顯示，如果你想要增進生活中的平衡、安寧與喜悅，就要經常注意身體的健康。

如果你從沒做過正式的身體健康檢查，現在就去做。預防勝於治療，在你被其他身體上的疾病沖昏頭之前，你應該要知道自己的立足點在哪裡。同時，隨時要注意自己的生活方式與習慣，自己做一個保養計劃。許多人都被日常生活綁住，完全忘了這些因素對他們的適應能力會造成多大的影響。

你有沒有充分的休息？一般來說，一個人一天晚上至少需要七到八小時的睡眠。許多醫生還建議要有午休時間。不論是二十分鐘的小睡，或只是一小段安靜的時光都可以。好好的休息一下，能讓你頭腦清新，心情愉悅，保持平衡諧調。

運動呢？一星期好好散步幾次，對心肺功能有不小的幫助。但是一般人發現，經常的運動不只對心血管疾病有幫助，他們會覺得更有活力，精神更集中，也更快樂。

優質的營養能讓你全身的系統運作正常。長期食用不均衡的精製食物、糖、酒精、高膽固醇蛋白質食物，會造成不良影響，最好能食用對健康更有益的全穀食物、水果、蔬菜與低脂蛋白質。

這些聽起來像是一堆要做的事，但是只要成為習慣，其實並不麻煩。你已經有例行的生活方式。只要把身體健康的觀念放在心中，重新思考一下這個問題就行了。最重要的是學習如何放鬆。身體上的緊張很快就會轉化為壓力與焦慮。只要你願意，你會很容易收集到有關放鬆的技巧。

79. 滋養心靈

生活在這個強調身體外表曲線、工作職位與擁有物的社會中，很容易就受到這些價值觀念的左右。但是，想要過著充滿意義與喜悅的生活，就一定要注意到靈性生活的品質如何——那個層面是與上帝、信念、特質、正直、道德有關的。這個層次的生活是無可取代的，因爲其中包含了人生方向的指引。在那裡你分辨出了什麼是短暫，什麼是長久；什麼是表象，什麼才是重要的。在這個層面中，你學會了誰對你最重要，什麼東西對你來說最有價值。

對許多人來說，宗教信仰與體驗是最能滋養心靈的。追尋與上天的聯繫，能讓你在下決定、考慮道德問題時找到一個衡量的標準，和伴侶建立起一種正直健全的生活。信仰可以從個人的承諾開始到參與宗教團體，參加神聖的禮拜儀式，還有經常的研讀經書、祈禱與靜坐冥想。

從更人性的觀點來看，靈性生活也可以是一種藝術的生活。視覺藝術、音樂、戲劇、文學、舞蹈都可以點燃內心的火花，讓你超越一般言語與邏輯的邊界。藝術帶給你美麗，充實你的創意，挑戰你的觀點。

同樣的，自然世界也是如此。在大自然中，你會發現有關四季循環、平衡與相互影響，以及生與死的最有威力、最強烈的畫面。如果你只注意到在生活中鑽牛角尖，很容易就會失去平衡。大自然會提醒我們，生命絕不是單一的事件，而是許多有意義的事物交織成的網絡，而且經常在變動，互相產生聯繫。如果想要讓自己與自己的生活跟大自然融爲一體，可以觀察銀河，或是看看顯微鏡下的生物。我們越明白身邊所圍繞的事物，越懂得生而爲人的限制。這樣的謙卑就是智慧的開始。

鍛鍊思維

身爲伴侶，你們彼此都可能會讓對方變得有點小心眼。你們的生活可能會陷入一種僵硬的習慣中，從不會想到什麼新點子，或是改變一下觀點。你會帶著同樣的偏好繼續訂閱同樣的期刊，傾聽同樣的政黨發表相同的意見。你們也會放縱彼此，吸收一堆心靈的垃圾食物。你眞的相信有那些電視節目能激發智力的？一般通俗的電影能將你的心靈拓展到什麼層面？你眞的給自己提供了思想的糧食嗎？

你們也可以成爲彼此的激勵者，鍛鍊滋養思維，擴大視野，超越平時那種既輕鬆又舒適的境界。就像一對伴侶可以有許多選擇與想像空間一樣，想要這麼做也有很多方法。

偶而至少要把電視關掉一下——只要一週一天，或是一個月有一星期這麼做。電視會讓腦袋痴呆，排除掉發展

其他興趣與挑戰的機會。就算是爲了一天結束時放鬆心情，也最好是能聽一些美好的音樂或吃一頓美味的大餐。

讀一本書，或是邊讀邊聽卡帶都行。挑選一些對你們都有用的書。一本好書能讓我們再三咀嚼，彼此討論。書本會教導我們關於人、事、地、時與經驗有關的知識。書本給我們一個可以一起探索的新領域。

讓自己開始學習。研究顯示，一個人只要繼續學習，腦部的退化就會減慢。選一個新課程上，或是開發一個新嗜好，或是在你的專業領域中繼續進修。

記住，要讓自己保持多樣性。你參與的是多重世代，或跨文化的活動，就是在擴大自己的視野。不同世代不同文化背景的人，對於人生對於世界都有不同的觀點。與不同的人混雜在一起，你就有機會接觸不同的經驗，用嶄新的眼光來看這個世界。

珍惜你們的孩子

即使是圖書館中的書籍，也無法全面概括養育孩子所需面對的問題。每一天都會有一些需要包容心與洞察力來妥協的事，或是變成對任何人都沒有好處的麻煩事。爲了要做到包容與洞察力，有四個簡單的建議：

首先是「團結一致」。對孩子的愛常會讓你變得剛愎自用，而你的觀點不一定永遠跟伴侶相同。然而，爲了孩子著想，即使很困難，你們在處理這些問題時，最好不要讓孩子參與。你們要一起架構家庭生活的方式，一起訓練孩子。對於不同的意見，先暫停一下，私下再來討論。要支持彼此的決定，讓孩子不會懷疑你們兩個就是一個團隊。

其次是「前後一致」。讓孩子知道一個絕不會改變的清楚界限，會讓他們產生安全感。設定規則之後，就要保持下去。不要第一天把某件事看得像天一樣大，第二天又忽略或嘲笑那件事。一種狀況或特殊的行爲需要設定新規則時，要清楚明確的說明出來。事先說明清楚不遵守規則會有什麼後果，並且貫徹始終。記住，孩子會模仿你所做的事及你做事的方法，而不是從你所說的話中學習。

第三爲「分擔重擔」。孩子要求大人付出許多的時間、能量與注意力。你把他們帶進這個世界時，你與伴侶就承擔了一個終身的責任。這並不是只由一個人來負責的事，即使你們選擇讓其中一個人待在家中照顧孩子也不行。你們一起承擔起重任，不但能減輕一半的壓力，更能加倍了歡笑。

最後是「盡量去愛」。孩子會跟父母在一起只是非常短的一段時間。許多父母在孩子長大離家之後，回顧養育孩子的那些精疲力竭、反覆無常、激動莫名的日子，卻發現那是一生當中最美妙的時光。既然你還身在其中，就珍惜每一天吧！

以自己的出身爲榮

當你許下承諾，要和另一個人組成家庭時，你就面對了一項挑戰。你的新家庭佔有優先地位，因爲那是你跟另一個人要一起架構、協商的成人生活。但是開始一個新家庭，並非意味著你原來的家庭就此蒸發消失了。

大多數人都想跟自己的親人一直保持聯繫，只是並不容易做到。如果你新組成的家庭跟原有的家庭之間有良好的互動——你們聚會的時間很平均，你的伴侶跟你一樣喜歡跟家人相聚，家人也都接受你的伴侶——那眞是太幸福美滿了。那是快樂又有意義的伴侶生活中最大的支柱。對其他的人來說，一些基本的原則可以讓家庭之間可能會產生的壓力降到最低。

首先要對伴侶忠誠。不忠誠不但不公平，而且實際上會造成災難。你已經向伴侶承諾了，而且也答應要對他忠誠。如果你把父母、兄弟或其他人放在最前面，你們之間

的關係就不會有進展。你的伴侶有權力扮演你家人的角色。

以你的出身爲榮。記住，大部分的父母親在養育子女時都盡力而爲了。他們一定會犯錯，但無論是否能做到，他們都很愛你，也希望你好。原諒他們的過錯。想辦法解決過去的舊怨。最重要的是，要用成熟的心態面對這些人際關係。你已經長大，過去那些童稚想法也該消失了。

想辦法建立起聯盟。如果你是從同情與愛的觀點來看待家人，你的伴侶就會學著這麼做。相對的，你的家人也不是聽你抱怨伴侶的聽眾。對家人強調伴侶的優點與可愛之處，能幫助他們了解與接受你所選擇的這個人。

最重要的是，感激你擁有自己的家庭。並不是每個人都像你這樣幸運。利用跟家人相聚的時光，學習更多與自己出身有關的事。盡可能的修正與解決過去的老問題。在他們還能聽見時，告訴他們你對他們的愛。一些小小的爭執絕對比不上血脈相連的重要。

83. 保留一點神秘感

能夠與一個人共渡一生的起起伏伏，是生命中最大的安慰與力量。但是那樣的親密關係也並不需要你無時無刻，百分之百的曝光。你確實可以做到在情感上忠貞，保持深刻的承諾，卻用不著把個人生活中所有的細節都拋在伴侶的面前。事實上，在你個人生活中的一些隱私最好保留給你自己，好讓你們之間的關係保持活力與趣味。

就拿一天下來，一堆髒衣服沒有扔到洗衣籃這件事來說吧，或許你覺得在自己的家裡，衣服脫下來隨地一扔就可以了。從另一個角度來看，你的伴侶卻覺得那樣脫衣服的行爲一點也不性感，只會讓他覺得討厭，這麼做會有什麼好處呢？爲了讓睡覺（或起床之後）的時間更有樂趣，你可能會想到要將衣服藏起來，這樣對你們兩人來說可能都更愉快一點。

生活中各式各樣的習慣也是如此：當你不再關心伴侶

對你生活中重要的選擇所做出的反應時，你對待伴侶的態度就像是一個你絲毫不感興趣的人了。事實上，你會說：「我根本不在乎你對我的看法。」

在你們之間保持一點神秘感，完全要看你們相處的狀況與相處的時刻而定。情緒不佳的時候，你的伴侶可能會抱怨你經常做某件事或沒做某件事。這是需要注意的，但那很可能是一時之間的情緒爆發，而不是眞正需要改變的行為。然而，這樣的抱怨可能在提醒你，當你跟伴侶相處時，你有點粗心大意。如果眞是如此，你可能要認眞想想，如何讓自己再度成為親密關係中一個更浪漫的角色。

漠不關心會殺死愛情。想要讓彼此的關係更美好，就要在其中混雜著一些神秘感。自己私下要做一些裝飾打扮。注意某些習性是伴侶不想要見到的。盡量做到你認為親密關係中應該有的角色扮演。在你們成熟的關係當中，你會增添新的愛情，增加更深的樂趣。

把枕上話題談開來

討論有關性的話題總是很尷尬的事。在親密關係中的一個或兩個人都有可能被觸怒了。在親密關係中，性是個大問題。在心理治療室中，性跟金錢一樣，都是人們會提出的主要問題。如果你們在床笫之間感覺到壓力，最好的辦法就是談開來。

在兩性關係中的其他層面，你不能確定伴侶知道你的感覺或了解爲什麼。除非你表現出來，否則在你不快樂的感覺被發現之前，你可能要等上很長的一段時間。記住，有時候性問題是出自心理問題，首先要談的可能是要尋求醫療上的幫助。但是更多時候，性問題顯示出你們之間的關係出了問題。從這個角度來看，性關係是能增進彼此關係的一個系統，那表示你們之間有一些問題需要處理了。

開始的時候可能要用比較通俗的辦法。你可能只是需要給自己一點放鬆的獨處時間。許多夫妻的性行爲變得無趣，而且根本不常做這件事，原因在太多的責任、疲勞、缺乏隱私，或是對方未解決的問題所帶來的焦慮感。到外面過一個晚上，不要帶著孩子，兩個人自己去度個假，或是改變一下步調，一個人待在家中一陣子，都會讓你有重新充電的感覺。

當然，有些性問題可能大到你想不出彼此之間會有解決的辦法。不要絕望或放棄。許多人都會碰到彼此解決不了的親密關係的問題。用不著害羞或覺得失敗。幸好，你用不著一個人面對問題，專業的心理諮商、兩性問題專家及相關的書籍都會對你們有所幫助。你知道越多，越有能力面對問題，也越能讓你們的親密關係恢復正常。

最重要的是，讓性關係成爲你們之間每天自然的表現——心連心的表現出對彼此的愛。不要把性關係跟其他幾百件事串在一起。不要讓性關係成爲考驗、測試或責任。而要想像成是生活中的甜點，讓它回歸原本的甜蜜滋味。

85. 讓吃飯成爲約會

現代人的生活永遠是匆匆忙忙的，每一對夫妻都有自己的時間壓力與考驗。不過所有的人都有一兩樣相同的事，譬如他們需要睡眠與吃飯。

有時候同床共枕是一種無法言喻的快樂，但大多數時候，那是兩個人失去意識的時刻。想要整合兩人相處的時間，用餐時刻是很值得注意的。在過去的文化習慣中，一家人會圍著圓桌而坐，一起進餐。對現代的家庭來說，如果能有一個晚上大家能聚在一起相當長的時間，那就已經很幸運了。不過這是一種可以改變的選擇。

首先想想看，你們一個星期眞正在一起吃飯的時間有多少。這些日子以來，你們有多少餐是將就著有什麼吃什麼？有多少次你們在吃完東西後，還留在桌邊長談？你有沒有讓答錄機爲你回答電話至少一小時之久？你是否經常一邊吃東西一邊做其他的事——看電視、閱讀或批公文？

這些問題的答案會對你們是否要一起進餐有極大的影響力。食物不只是營養，也是一種心靈的糧食，吃飯時刻絕對是可以談話的精緻時間。但是一開始，你一定要先擺脫掉高速進前的時尚生活方式，讓吃飯時間還原爲特殊的相聚時刻。

或許你們之中有人或兩人都喜歡煮飯。在這樣的狀況下，煮飯炒菜都是兩人相聚最重要的時刻。你們可以經常碰面，一起嘗試新菜色。或許你喜歡在一天工作結束後，去買某種「外燴」的食物。或許你喜歡星期天早上來點鄉村風味的早餐。絕不要以爲只有當你們兩個一起外出進餐時，你們才有機會約會一下。

重點是：要讓生活甜美，就需要花時間。許多人都說再也找不出時間再加進一件事了。好。那就在你一定會做的事當中增加一點吧。利用進餐的時間來約會。把吃飯的速度減緩下來，可以讓你記住美好的生活就該如此，而你有多開心自己能擁有這麼好的伴侶。

一個月交換一次工作心得

如果你能陪著伴侶一起度過一天，或是更換一下彼此的位置，就趕快這麼做吧！不過你也應該經常問問伴侶這一天的工作狀況如何？更要經常注意伴侶的生活體驗、想法與對工作的感覺。

記住幾個要點，能讓這樣的機會發揮最大的效益。第一，要忍住不說：「我知道。」你其實並不知道。如果你眞的很敏感，或許你可以想像出來。但是如果你這樣回應：「對你來說一定很難。」或「你覺得怎麼樣？」會更有幫助。

其次，不要立刻把伴侶的經驗跟自己的個人體驗混在一起。我們很容易就會將自己的經驗提出來，掌控住整個的討論。想要繼續討論，就要以伴侶的話題爲主。

第三，保留評斷。你可能私下會想這是很難纏的事。不論你有多努力想要隱藏這樣的感覺，只要你心中藏著這

樣的想法，就會讓你缺乏設身處地爲對方著想的能力。這個小小的評斷會一直靜靜待在你的腦海中，帶著陰險的微笑，半信半疑，自以爲是。你沒法眞正聽到或了解伴侶的生活觀點。

最後，鍛鍊一下愛的想像力。你擁有支持伴侶的優先特權。如果你願意發揮這樣的特質，只要眞誠的感受到伴侶所承受的重擔，你就能爲他分擔重擔，而且支持著他。當你將心比心，了解對方的觀點時，要面對日復一日的生活困境就比較容易了。

87. 一起做義工

在親密關係中，你們必須注意到個人及雙方共同的需要該如何獲得滿足。在這樣的過程中，你們對人生的視野可能變得很短視，你們不但自成一個宇宙中心，也成為這個中心的本身。到了某個時期，你們會停下來，不再只注意彼此，而會往外界觀看。這並不是說你們不該把對方放在第一順位，或是忽略了關懷對方需要的機會。那只是說，你們不再鼻貼鼻的面對著，而是肩並肩的站著時，你們的洞察力就會增加了。你們是有使命的一個團隊，而不是秘密會社的兩個人。你們會了解自己不過是一個大團體中的一個小份子。你們並不代表一切。

最近十幾年來，許多人都談到社區活動、社會關懷的效益。沒有什麼比得上一般人聚集在一起，幫助別人所產生的力量。不論是什麼樣的組織 —— 清理街頭垃圾、在食物救濟站幫助飢餓的人、在醫院病房幫助無父無母的小嬰兒，人們付出時間與才華，只是爲了滿足幫助人的心理。你也可以這麼做。

當你注意到別人眞正的需要時，就很難再自我中心了。有趣的是，你們轉移了注意力之後，過去干擾你們的事現在變得微不足道了。你不再自憐，而會感激你所擁有的，也會擴大彼此的經驗，幫助你們朝同一個方向成長。

你用不著做出驚人之舉才算是有所貢獻。只要能在公共圖書館中做一年的理監事，就能讓一個很好的組織上軌道。利用假期收集一些毯子，送去救濟品中心，就能幫助那些有需要的人。把衣服捐給慈善中心，可以幫助離家出走的年輕人有重新開始的機會。

你用不著到太遠的地方去找慈善中心、中途之家或環保中心。地方上的活動中心會有一份慈善中心的完整清單，或是到附近的教堂找找資料也可以。用不著參加太大的計劃或時間過長的活動，只要能成爲大團體中的一小部份就行了。

分類，整理，捐贈

我們生活在一個富裕的年代。我們的家中所設計的空間只夠儲藏少量的物品，而我們都已經把空間塞滿了。每一個家庭中，幾乎至少都會有一輛車子，屋中也一定會有電視。我們買各種功能不同的工具或器具，也買適應不同場合的衣服。事實上，大多數人家中都已爆滿了。

擺脫掉一些東西，能幫助你除去一些壓力。找一個你知道塞滿了東西的麻煩據點——或許是走道邊的儲藏室。你跟伴侶一起花幾個小時把那個櫃子清理一下，然後就將那堆東西區分成三種：要保留的，要扔掉的，要送掉的。

要扔掉的東西最容易，一個小小的垃圾桶就可以了。要回收的東西就要依照當地的規矩來處理。大型物品最好立刻送往回收中心。

需要扔掉的東西處理完畢之後，就要處理送掉的東西。有許多慈善中心收集一些人們需要的物品。或者你認識某個人正好需要你不想要的東西。把物品依照不同的需要挑選出來，在一週之內處理完畢。

現在你要面對那些需要保留起來的東西了。再看一遍所有的物品，你跟伴侶真的需要這些東西嗎？這些東西是否不適合再放在這個廚物櫃中了？如果是這樣，就把這些東西跟其他同類型的物品存放在另一個更合適的空間裡。

最後，你準備好要重新整理櫥櫃了。最後還有兩個好玩的問題要問一下：你能不能將櫥櫃整理到所有的項目都很容易看到或拿到？如果可以，何不趁現在你們正在處理當中來整理一下呢？把所有的架子、抽屜或勾子都掛好。讓櫃子變成家中一個令人滿意的單純地方，絕對值得你全力以赴。

你剛剛處理的過程可以應用在全家的任何一個角落。兩個人一起來做，可以讓你們立刻下決定 —— 除非兩人一起參與，絕不要任意將東西扔掉。太多的好東西可能會把你壓垮，放輕鬆一點吧！

有問題就處理

每個人都經歷過這樣的時刻，雖然沒有特殊的理由，但是看到自己的伴侶時，眼光中卻沒有任何愛戀的感覺。那可能是因爲疲憊、厭倦或情緒很壞。那會在個人有懷疑或改變時爆發出來。你可以讓這樣的事變成可怕的大事，也可以面對現實，承認我們都是凡人，讓事情過去就算了。

不要讓自己有「對方專門在找麻煩」的感覺。最重要的是要記住，愛與喜歡並不是永遠相同的。愛不只是浪漫的情感，其中最基本的要素是承諾。當你接納一位伴侶時，你就接受了他整個人，而不只是他可愛的那一面。有時候，雖然不是伴侶的錯，但你看不順眼的地方，卻往往就是最明顯的地方。

當伴侶就是要「惹你生氣」時，盡量去做你最不想做的事——與其讓一開始出現的厭惡的反應冒出來，然後開

始抱怨，不如想出一個特殊的方法，眞誠的感恩或讚美你的伴侶。

當你想要吵架，或正在這麼做時，想辦法在吵架爆發之前轉變爲承認自己的錯。你要道歉，因爲自己古怪的行爲而讓對方受苦，然後就讓事情過去了。

當你覺得非常渴望搭上下一班飛機，遠離你的伴侶時，不妨利用這個時刻跟他定一個約會。可能只是很簡單的在美麗的天氣中外出走走，或是比較複雜的到外面共度週末。不要讓這樣的機會變成發展其他外遇的機會。只要在你們當初許下的承諾中來進行就好了。

情緒很壞時，一個人很容易就變得自我中心。但是對於自己選擇的方向，你還是有責任的。用積極的行動來回應伴侶負面的情緒，你就能改變潮流的方向。如果眞的是病態的攻擊，反擊回去；如果懷疑自己在挑剔伴侶，就要想辦法重修舊好。

90. 傾聽言外之意

伴侶在批評我們時，總是會讓我們痛心疾首。因爲這樣的批評傷到你的自尊心，所以你會自我防衛的反擊回去。如果你想要保持平衡，打開心靈來理解對方的說法，關鍵就在傾聽對方的言外之意。伴侶的批評通常不只是針對某一個單一事項。伴侶對你抱怨的事，對他來說是極爲重要的。一般來說，就因爲對他很重要，你就應該放開心靈接受他的抱怨，看看有什麼改進的辦法。

要用建設性的心態來面對批評，有幾個步驟可循。第一步，可以說些類似：「你可不可以再告訴我一遍，到底是什麼在讓你心煩？」保持冷靜，仔細傾聽，不要讓怒火或驚訝扭曲了眞相。

一旦你知道他抱怨的是什麼了，繼續說：「請你解釋一下爲什麼這件事會是個問題？」基本上，你想要進一步釐清事實。許多「問題」其實都是不客觀的。在你眞誠的

說出：「哦！我懂了。」之前，要先弄清楚問題的背面是什麼。

現在，假設你已經了解抱怨的理由，也覺得確實是公平的，這就是你要道歉的一個機會了。你可能會很驚訝的發現，有時候一個道歉就能讓抱怨的風暴轉向。你的伴侶覺得你了解他了。你也覺得自己更成熟了。

要解決問題的最後一個步驟是問問伴侶：「以後我怎麼樣做會更好一點？」做進一步的回應，會讓伴侶覺得你是很認眞的。或許你不喜歡他的建議，也可以換一種想法。繼續尋找，直到你們能把問題眞正的解決掉爲止。

91. 檢驗你的判斷力

你們之間爭吵到不可開交時，你會怎麼辦？對彼此來說，最可怕的是這些爭吵與衝突幾乎都一模一樣。每次出現時，你們都會更擔憂，慢慢失去解決問題的希望。你不知道在自己無法承受之前，這樣的狀況還要持續多久。

如果你們的關係變成如此，就要重新思考與行動。冰冷的關係會剝奪掉喜悅、平靜、滿足與承諾。雙方都拒絕再談判，也都不敢打破擋在彼此之間的高牆時，就會產生激烈的行動。這時候你一定要找人幫忙。

心理諮商專家會讓每個人把問題攤在桌面，用清楚的態度來面對問題。心理專家既沒有牽涉到雙方的情緒問題，也不清楚來龍去脈，因此可以提出一些雙方都不會提出的問題。此外，心理專家也會公正的傾聽。一個第三者用不著因為其中一個情緒爆發出來，而去討好另一個人。心理諮商所創造出來的是一個安全的網絡，讓大家表現出

在家中無法說出口的眞話。心理專家會想出一套策略，幫助一對打了死結的伴侶解套。

有些人會在伴侶提出之前就去尋求幫助，這也沒問題。但是一般的心理專家都會說明，沒有伴侶的參與，這樣做是很困難的事。當然，一旦你開始尋求幫助，你的伴侶也可能會加入你。就算只是爲了想辦法爲自己辯護也行。再強調一遍，化解封凍的兩性關係，給雙方的關係一點刺激與鼓勵，是要改善彼此關係的唯一希望。

承認自己需要幫助是勇敢而有智慧的決定。那不是害羞的事，而是成熟有深度的證明。在專家的幫助下，你可以抽絲剝繭，把個人的問題一項項清理掉，然後朝更堅強的方向前進。記住，很少有問題是單方面發生的，就算有也不多。在兩性關係中，要兩個人才能產生問題。如果你願意找專家幫助，就是同意讓自己的判斷力放在客觀的立場。這樣做對你有好處，因爲你會知道自己哪裡出了問題，在沒有外援時有人可以助你一臂之力。

92. 大聲喊痛

當你決定讓痛苦——在兩性關係中發生的「哎喲」的疼痛感覺——只保留給自己時，你可能就是在讓一些小問題腐化你們之間的關係。或許你覺得在療傷時看看伴侶有沒有注意到你，就可以證明他愛不愛你。然而，想要別人「懂得」你的傷痛，完全是孩子氣又不公平的做法。

如果你想要避免讓小傷口變大，就要像真的在處理身體上的傷口一樣。傷口需要照料，清理，包紮。在成熟又充滿活力的關係中，這會讓彼此更理解對方，也會產生更多的同情心。讓那個受傷的人可以卸下心中的痛苦，活出滿意的生活。

唯一讓人知道你的痛苦的方法是說出來。選擇適當的時間做理性的說明。不要在兩個人都很累，或是情緒上剛好出問題時，一開口就把受傷或生氣的事拿出來討論。找一個身體健康、頭腦清晰的時刻來討論。

小心選擇你要用的字眼。如果你讓自己的談話聽起來像是在攻擊對方——在心痛的時候很容易這麼做——你的伴侶很可能會爲自己辯護。「你永遠……」或「你害我……」就是攻擊的字眼。如果你希望對方聽見你所說的，你就要想辦法專心的表達出自己的感覺。

最後，給你伴侶一個機會，想想你所說的話，然後在他認爲適當的時間做出回應。或許他會看出你所說的是正確的而向你道歉。不論結果如何，只要你把問題說出來，就會把痛苦放下來了。原諒對方，忘記一切。原諒能讓你超越傷痛的現實，繼續活下去。遺忘能讓你的傷口痊癒。

93. 不要拿伴侶的花費來開玩笑

幽默是一種天賦。因爲幽默，每天的生活重擔可以減輕一點，對於自己的缺點也可以看得更透徹，而且不會把事情看得太過嚴重。能夠取笑自己，會讓我們保持平衡，不會太自我中心。

但是幽默也可能會讓你頭腦不清。對一個人來說是很好笑的事，對另一個人來說卻是十分的唐突。一個人只是輕鬆的說些俏皮話，卻可能剛好觸到另一個人的痛處。

然而，最讓人不愉快的可能是針對伴侶的生活而來的幽默感。許多伴侶在相處的時候會彼此開開玩笑，有時候那是表示我們對彼此很熟悉，有時候卻是爲了避免嚴厲的批評伴侶 —— 就算他們所溝通的問題眞的是很嚴重的問題。有些伴侶在私底下會開開玩笑，有時效果很不錯。如果你要談的是很嚴肅的問題，或是跟伴侶有關的問題，幽默會讓尖銳的感覺消失一點，聽起來比較不刺耳。

在任何狀況中，你都要記得，幽默——尤其是取笑——可以讓某個時刻變得更好一點，但也可能讓聽到的人改變心情。你說的俏皮話，別人卻可能當眞了。尤其那個人是你生活中的伴侶時，更是如此。

譬如你的伴侶可能會私下取笑一個親戚，那可能是要調整心中負面感覺的一種方法。如果你在眾人面前這麼做時，就會發現自己惹麻煩了。她的負面感覺並不會改變那個親戚在她生命中所扮演的重要角色，而你所取笑的正是這樣一個重要人物。當你開玩笑的時候，很容易會誤解了對方眞正的感覺。

拿心上人的花費來開玩笑時永遠要小心翼翼，再三考慮。許多關於別人消費的笑話聽起來都沒有想像中那麼有趣。你可能踩到別人的痛處了。耳聽八方，眼觀四方，小心一點。問問伴侶對你開玩笑有什麼感覺，而不要說了笑話後才問。如果你想要冒險開個玩笑，就要準備出差錯時道個歉。

幽默確實是一種天賦，但需要敏感、同情與自我克制。爲了公平起見，如果你要伴侶扮演那個傻瓜的角色，還不如由你自己來扮演。事實上，如果你決定要讓某個人成爲被取笑的對象，那個人最好就是你自己。

94. 記住愛

在現代西方的社會中，談到愛是一件吃力不討好的事。電影、書籍、脫口秀、相聲、報章雜誌——全都靠羅曼史、激情、騷動的感覺來維持收視率與賣點。在這樣的過程中，就算是非小說的領域中，也讓我們感覺到，如果不是經常出現在彼此的關係中，愛可能就消失了。

對一生相隨的伴侶來說，愛是跟羅曼史有關，更確切來說，通常是那樣開始的。在親密的愛之中，像是友情，情感上的支援與承諾，都跟愛情、彼此關懷、經濟上的保證一樣扮演著不可或缺的角色。而在這一切之下，串聯起一切的是忠貞。

對終身伴侶來說，忠貞是超越一切的獨特感情。沒有了忠貞，你們之間一切的聯繫——性愛、財務、情感——全都失去了意義。你可能用不著二十四小時都浪漫無比，但你最好是忠貞到底。

想想看你跟伴侶之間因爲某些問題所產生的摩擦。一次找出一個問題，檢驗一下。首先，問問自己，這些煩人的事是否跟忠貞有關？譬如你的伴侶公然反對你跟另一個人晚上一起外出 —— 尤其是異性朋友 —— 就是從忠貞這個立場做出發點。不論你辯稱整個事件有多無辜，被冒犯的那一方確實有理由要你保持忠貞與愛。

你花一點空閒的時間，想要弄清楚彼此的關係代表著什麼意義時，關於忠貞的問題是最容易討論，也最容易解決你的疑問的。在你們的關係中，忠貞代表著什麼？每一對夫妻的答案都各不相同，要看他們是什麼樣類型的伴侶，他們對自己與彼此的信心如何？最重要的是，他們在情感上的包容度如何？除了愛與同情之外，忠貞有一部份是跟尊重伴侶的不安全感與需要有關。

95. 相信個人的力量

夏令營的老歌中曾經有一句是：「只需要一點火花就能點燃火種。」這是眞的。一句評論會造成漫天謠言。一位驕傲的母親獲得所有觀眾的鼓掌。一位同事招集了所有的同事，爲另一位同事的手術募款。這種滾雪球般的力量，描繪出了個人的力量。

在焦慮或失去信心時，你可能不相信一個人的力量有什麼用。當你跟終身伴侶合而爲一，你可能會想到，如果只有你自己 — 伴侶不支持你，或參與你想做的事 — 你可能就無法有所貢獻了。你讓自己充滿挫敗感。在這樣的情況中，你通常會這麼做。

通常我們不喜歡有阻力。我們喜歡走一直線，然後碰到最少的路障。不過，古今中外，生命中最偉大的成就都是來自夢想與許多的挫敗誹謗。令人驚訝的是，一個人所遭遇到的阻礙，卻會幫助他使出所有的力量與智慧，讓原

本只是一個小點子變成偉大的結果。

想要有所貢獻，第一步是知道自己擁有一個人的力量，可以做很多的事。如果沒有這樣的概念，你就會成為自己的絆腳石。如果你在挫敗感中掙扎著，暫停一下，做一些研究。看看別人的成就。跟一些有經驗的人談一下。找時間收集一些你需要的資料。否則，你沒法充分了解要做到你想做的事，需要花多少的力量才能完成。

記住，一次只要進行一個步驟。總是看著困難的遠景，會讓未來失去潛在的價值，不如將事情劃分成小小的一部份，每次做一些改變比較好。一個步驟會帶引你到下一個步驟，努力會累積的。就像雪球一樣，你的目標會壯大，氣勢也會加強。

最後，你需要看透整個目標。最後的結果可能無法達到你的期許，也可能超出你狂野的夢想。但是除非你堅持到底，否則你一定會失望的，也會因為無法堅持下去而失去了增加個人特質與自尊的機會。

96. 爬爬山

在生活中，最重要的一件事是學習超越日常生活中的問題，不要讓這些瑣事霸佔你的生活，驅散你的快樂。那些問題不會自動消散的。而你從日常生活中所擷取的煩惱，這兩者都會停留在那兒，繼續增長。他們會破壞掉你的生活景觀，就像一片雄偉山脈的山丘下卻出現了一片矮樹叢。你什麼也改變不了。但是山羊卻能告訴我們一些教訓。

山羊每天都爬在最高的山坡上，遠遠超過一般牲畜所能承受的高度。牠堅定的踏著步伐，走在看來難以行走的坡地上。山羊吃著草根樹皮攝取營養。牠找到一條積雪融化的小溪來解渴。牠完成這些事全都是靠個人的一些小小的決定。做完一個行動之後，才再做下一步的行動。

我們都很喜歡快速的修正事情。社會教導我們要這麼做。但是生活並不總是如此願意配合。你越想大步向前，

越會被自己絆倒。想想看山羊的例子。牠很有耐心，一路走向懸岩。一次只挪動一步。他並不擔憂自己會掉下去或四周的景物有多可怕，只是很穩健的往前進。驚人的是，最後牠終於到達了一座山的頂峰。

向山羊學習吧。與其想要大跨步超越小問題與日常生活中的瑣事，不如停下來，想一想。想想你可能採取的下一步行動是什麼。記住，要往前一步只需要做一點小小的改變。找出那樣的步驟，開始去做。

當你覺得再也沒有能量繼續下一步時，請記住，生活中永遠充滿了能支持你的能源。每天你都有機會滋養心靈，滿足情感上的需要。想要立刻修正問題或大步超越問題，都只會給你帶來煩惱。放慢步伐，穩健的往前走，經常暫停一下充實自己，你就能達到更高的境界。

清除負面情緒

言語也是一種暴力。你的言詞當中充滿了負面情緒時，就會變成你與人溝通的基本模式。你與他人之間的任何一點小事都會成爲負面思想的元素。不過負面的思想是一種習慣。只要是習慣，就可以改變。

行爲學家聲稱，只要六個星期就可以建立或打破一種習慣。如果你從現在開始建立新的習慣，你就能在一個半月內建立起積極正面的思想模式。對人生來說，這是很短的一段時間，好處卻用之不盡。

首先，注意負面的情緒。或許一開始只是些友善的測試。雖然好玩，但事實上卻會習慣成自然。在你明白之前，負面情緒已經霸佔了你的思想。所以要注意你跟伴侶之間的談話。注意你們彼此挑剔的時候，就算是在開玩笑也要留意。抓出你不是在支持對方，而是在批評對方的時刻。

你們之間的關係不太好時，你可能會喪失了鬥志。這時就讓觀察力來指引你。經常想著：「我要如何用積極的方式來溝通，而不是用負面的情緒？」「在這個情況中，什麼才是最好的？我要如何強調這一點？」

現在，不只要刪去你已經不想要的，還要增加新的。你可以想像一下電腦的狀況。你正輕快的操作電腦，螢幕上卻突然出現一個訊號，說明記憶體不足，不能繼續操作了。你只好刪掉一些舊檔案，讓新檔案有一點運作的空間。如果你想要讓積極正面的態度進入你們的關係當中，就得刪掉舊有的負面態度，才能讓積極正面的態度出現。

只要你願意，一點小小的負面態度也可以滋長成大事——不過，同樣的，積極正面的態度也能這樣的滋長。一旦你能建立起這樣的心態，就要用心的表現出你們關係中的積極面。那會改變你的態度與眞實的生活。強調好的一面，會鼓勵你滋生出更多美好的心情。

人生顧問 105

別為小事抓狂指南——夫妻篇

作　者—理察・卡爾森、別抓狂編輯群
譯　者—朱衣
主　編—心岱
編　輯—陳怡君
董事長
發行人—孫思照
總經理—莫昭平
總編輯—林馨琴
出版者—時報文化出版企業股份有限公司
108台北市和平西路三段二四〇號三樓
發行專線—（〇二）二三〇六—六八四二
讀者服務專線—〇八〇〇—二三一—七〇五・（〇二）二三〇四—七一〇三
讀者服務傳真—（〇二）二三〇四—六八五八
郵撥—〇一〇三八五四〇時報出版公司
信箱—台北郵政七九～九九信箱
時報悅讀網—http://www.readingtimes.com.tw
電子郵件信箱—ctliving@readingtimes.com.tw
美術編輯—鍾佩伶
校　對—李靜怡、陳怡君
印　刷—科樂印刷有限公司
初版一刷—二〇〇三年一月二十七日
初版二刷—二〇〇三年三月五日
定　價—新台幣一九九元
⊙行政院新聞局局版北市業字第八〇號
版權所有　翻印必究
（缺頁或破損的書，請寄回更換）

The Don't Sweat Guide for Couples by The Editors of Don't Sweat Press
(Copyright notice exactly as in Proprietor's edition)
Originally published in the United States and Canada by Hyperion as The Don't Sweat Guide for Couples.
This translated edition published by arrangement with Hyperion.
Through Big Apple Tuttle-Mori Agency,Inc.
ALL RIGHTS RESERVED.

ISBN 957-13-3838-9
Printed in Taiwan

國家圖書館出版品預行編目資料

別為小事抓狂指南. 夫妻篇 / 別抓狂編輯群著
; 朱衣譯. -- 初版. -- 臺北市 : 時報文化,
2003[民92]
面 ; 公分. -- (人生顧問 ; 105)
譯自 : The don't sweat guide for couples :
ways to be more intimate, loving and
stress-free in your relationship

ISBN 957-13-3838-9(平裝)

1. 兩性關係 2. 人際關係

544.7 92000380

請沿虛線撕下後對折裝訂寄回，謝謝！

編號：CF0105	書名：別為小事抓狂指南——夫妻篇
姓名：	性別：________ 1.男 2.女
出生日期： 年 月 日	連絡電話：

________ 學歷：1.小學 2.國中 3.高中 4.大專 5.研究所（含以上）

________ 職業：1.學生 2.公務（含軍警） 3.家管 4.服務 5.金融 6.製造 7.資訊 8.大眾傳播 9.自由業 10.農漁牧 11.退休 12.其他

通訊地址：□□□__________縣（市）__________鄉鎮區__________村__________里

______鄰__________路（街）______段______巷______弄______號______樓

E-mail address：____________________

（下列資料請以數字填在每題前之空格處）

________ **購書地點／**
1.書店 2.書展 3.書報攤 4.郵購 5.網路 6.直銷 7.贈閱 8.其他 ________

________ **您從哪裡得知本書／**
1.書店 2.報紙廣告 3.報紙專欄 4.雜誌廣告 5.網路資訊
6.親友介紹 7.DM廣告傳單 8.其他________

________ **您希望我們為您出版哪一類的作品／**
1.心理 2.勵志 3.成長 4.潛能 5.知識 7.其他 ________

您對本書的意見／
________ 內容／1.滿意 2.尚可 3.應改進
________ 編輯／1.滿意 2.尚可 3.應改進
________ 封面設計／1.滿意 2.尚可 3.應改進
________ 校對／1.滿意 2.尚可 3.應改進
________ 定價／1.偏低 2.適中 3.偏高

您的建議／

____

____

請沿虛線摺下裝訂，謝謝！

時報出版
CHINA TIMES PUBLISHING COMPANY

地址：108台北市和平西路三段240號3樓
讀者服務專線：0800-231-705・(02)2304-7103
讀者服務傳真：(02)2304-6858
郵撥：01038540 時報出版公司

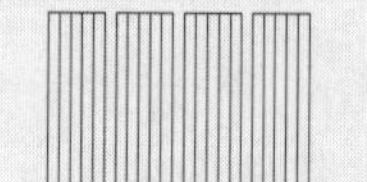

請寄回這張服務卡（免貼郵票），您可以——
●隨時收到最新消息。
●參加專為您設計的各項回饋優惠活動。

寄回本卡，掌握人生顧問的最新出版訊息。